Cruz e Sousa

O Poeta do Desterro

CRUZ E SOUSA

O POETA DO DESTERRO

Roteiro de Sylvio Back

Colaboração Rodrigo de Haro

7LETRAS

Copyright das traduções
Steven F. White (inglês)
Walter Carlos Costa (espanhol)
Leonor Scliar-Cabral e Marie-Hélène Catherine Torres (francês)

Capa
Guilherme Mansur

Fotos da capa e de cena
Lúcio Giovanella

Editoração eletrônica
Cálamo Produção Editorial

Revisão
Miguel Rabello Bastos

BACK, Sylvio
Cruz e Souza – o Poeta do Desterro / Sylvio Back – Rio de Janeiro: 7Letras, 2000.

ISBN 85-7388-187-9

1. Cinema brasileiro – roteiro. I. Título.

CDD 791

2000
Viveiros de Castro Editora Ltda.
Rua Visconde de Carandaí, 6
Jardim Botânico – Rio de Janeiro – RJ
Cep: 22460-020
Tel/Fax: (21) 540-0037/540-0130/540-7598
e-mail: sette@ism.com.br

Patrocínio desta edição

Sumário/summary/sumario/sommaire

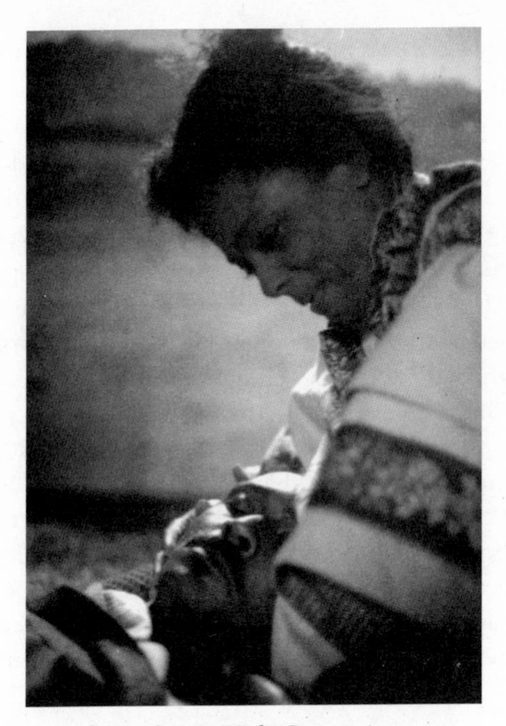

Cruz e Sousa (Kadu Carneiro) jaz nos braços de Gavita (Maria Ceiça).

Prólogo

Interior. Dia/Noite. Vagão de carga.

Vagão de transporte de gado, semi-aberto. Trem em movimento. A paisagem corre rápida ao fundo da silhueta de CRUZ E SOUZA (um negro altivo de 36 anos), de paletó puído e calçado, que jaz inerte sobre capim seco e serragem, a cabeça recostada no colo grávido de sua mulher GAVITA (uma bela negra de 30 anos), totalmente desvairada, chorando. Cruz e Sousa, sangue brilhando nos lábios, os olhos esgazeados fixam o nada. Gavita, num gesto mecânico reiteradamente tenta ajeitar um paletó e gravata inexistentes, com os dedos penteia seus cabelos, mexe nervosa nos seus braços e ajeita as mãos. O cadáver é o de um homem maltratado, esgotado. A cena é patética pela solidão e pelo insólito do ambiente, às vezes invadido pela fumaça do trem. Tem-se a nítida impressão que Cruz e Sousa, na verdade, não está morto. Uma luz gélida, como se fora da lua, começa a banhar o poeta e sua mulher, e acaba assumindo o lugar do horizonte. Personagens que aparecerão no desenrolar do filme, tendo atrás de si cavalos, assistem àquele improvisado velório: as pequenas atrizes, as três brancas, JULIETA DOS SANTOS (12 anos) e GEMMA CUNEBERTI (10 anos), a violonista-mirim GIULETTA DIONESI (12 anos) que toca seu instrumento, a noiva-donzela PEDRA ANTIÓQUIA (uma esguia negra de 17 anos), os velhos pais GUILHERME e CAROLINA (ex-escravos, ambos com mais de 70 anos), os amigos e escritores, todos brancos, NESTOR VÍTOR, ARAÚJO FIGUEIREDO, OSCAR ROSAS, MAURÍCIO JUBIM (que aparece desenhando o rosto de Cruz e Sousa à morte), VIRGÍLIO VÁRZEA e TIBÚRCIO DE FREITAS (todos em torno dos 30/35 anos). Sobrepondo-se à cena seleta do poema "Antífona", a maioria *Off Screen* (O.S. – o ator está na cena mas não focalizado pela câmara), algumas estrofes às vezes são balbuciadas pelo "morto" e repetidas por um e outro, depois em coro, pelos presentes.

CRUZ E SOUSA

Ó Formas alvas, brancas, Formas claras
De luares, de neves, de neblinas!..
Ó Formas vagas, fluidas, cristalinas...
Incensos dos turíbulos das aras...

CORO (O.S.)

Formas do Amor, constelarmente puras,
De Virgens e de Santas vaporosas...
Brilhos errantes, mádidas frescuras
E dolências de lírios e de rosas...

CRUZ E SOUSA

Forças originais, essência, graça
De carnes de mulher, delicadezas...

Todo esse eflúvio que por ondas passa
Do Éter nas róseas e áureas correntezas...

NESTOR VÍTOR

Flores negras do tédio e flores vagas

ARAÚJO FIGUEIREDO

De amores vãos, tantálicos, doentios

OSCAR ROSAS

Fundas vermelhidões de velhas chagas

VIRGÍLIO VÁRZEA

Em sangue, abertas, escorrendo em rios...

CORO (O.S.)

Tudo! Vivo e nervoso e quente e forte,
Nos turbilhões quiméricos do Sonho,
Passe, cantando, ante o perfil medonho
E o tropel cabalístico da Morte...

LETREIROS

Seqüência II

Interior. Noite. Terreiro de candomblé.

Surge o ator que interpreta Cruz e Sousa defronte a um espelho de camarim, preparando-se para entrar em cena. Ele ensaia os versos, repetindo-os, do poema que dirá adiante. Pelo reflexo do espelho, o vislumbre de um terreiro de candomblé. Cercado de filhos de santos (homens e mulheres paramentados), Cruz e Sousa, de calça e camisa brancas, o corpo respingado de sangue, é submetido a uma sessão de passes. Tambores, atabaques, incenso, velas, flores – o pequeno terreiro é de chão batido, o ambiente é de nítida pobreza. Sentado defronte ao babalorixá (pai de santo), Cruz e Sousa acompanha os búzios que são jogados para ele. Não há público presente. Mas o clima é de comunhão. Cruz e Sousa parece estar entrando em transe. A idéia é a do ator em busca do personagem. Ouvem-se estrofes do poema "O Assinalado", seguidas de fala do babalorixá:

CRUZ E SOUSA

Tu és o louco da imortal loucura,
O louco da loucura mais suprema.
A Terra é sempre a tua negra algema,
Prende-te nela a extrema Desventura.
Tu és o Poeta, o grande Assinalado
Que povoas o mundo despovoado,
De belezas eternas, pouco a pouco.

Na natureza prodigiosa e rica
Toda a audácia dos nervos justifica
Os teus espasmos imortais de louco!

BABALORIXÁ

"João, meu filho, o babalaô falou
através de Ifá (adivinho), que nenhum
sofrimento nesta vida é vão. Nenhuma
lágrima se perde. A vida humana, João,

é apenas uma preparação para a
verdadeira vida. Não há uma lágrima
que Deus não veja, João. Quem não
chora a sua lágrima secreta? Deus
as guarda por toda a eternidade.
Assim, João, tirarás da dor e do
sofrimento a riqueza e a grandeza
de teus poemas. Que os orixás, João,
te dêem forças pelas provações e pela
tua caminhada nesta vida. Que todas
as forças benéficas te abençoem, meu
filho. E que Olorum te dê paz e
tranqüilidade nos teus caminhos. Axé."

Sobre as imagens do ator em transe, surge escrito na tela este pequeno esboço biográfico do personagem.

TEXTO

Filho de escravos alforriados,
João da Cruz e Sousa nasceu
em 1861, na cidade de Nossa
Senhora do Desterro, atual
Florianópolis (SC).

Criado pela família do senhor
dos pais, recebe educação e
cultura de corte europeu.

Cedo Cruz e Sousa enfrenta
o preconceito na ilha de Santa
Catarina, que não reconhece
o seu brilho pessoal nem o
talento de escritor e poeta.

Como "ponto" da companhia
teatral de Julieta dos Santos, e
participando de campanhas

abolicionistas, viaja por todo
o país.

Aos 29 anos, rompendo longo
noivado com Pedra Antióquia,
muda-se para o Rio de Janeiro.

Em 1893 Cruz e Sousa tem
publicados os livros *Missal*
e *Broquéis*, este, de poemas,
é a pedra fundamental do
Simbolismo no Brasil.

Ironicamente vê crescerem
a segregação racial e social,
e a inveja do poder literário
da época.

Casa-se com Gavita Rosa
Gonçalves, mãe de seus
quatro filhos, e cujos meses
de loucura marcam a vida e
a arte do poeta.

Pobre e tuberculoso, busca
cura em Sítio (MG), onde
acaba morrendo em 19 de
março de 1898 aos 36 anos.

Ao despedir-se do amigo e
poeta Nestor Vítor entrega
os originais de *Evocações*,
Faróis e *Últimos Sonetos*,
publicados postumamente.

O corpo de Cruz e Sousa
volta ao Rio de Janeiro num
vagão de transportar gado.

Seqüência III

Interior. Noite. Teatro.

Vemos Cruz e Sousa dentro da caixa do "ponto" de um palco de teatro, cujo público não aparece, apenas ouve-se o seu burburinho. Em cena uma menina "artisticamente" esfarrapada, grilhões rotos nos pulsos e tornozelos, nas mãos um pássaro negro empalhado, recita o poema "O Melro", de Guerra Junqueiro. É JULIETA DOS SANTOS, uma atriz precoce que por meses perturba o jovem Cruz e Sousa. Enquanto ela fala, o poeta apenas move os lábios, como que recitando o poema para si.

JULIETA DOS SANTOS

"Quanta dor, quanto amor, quantos carinhos,
Quanta noite perdida
Nem eu sei...
E tudo, tudo em vão!
....
Filhos da minha vida
Filhos do coração!!!...
Não bastaria a natureza inteira,
Não bastaria o céu para voardes,
E prendem-vos assim desta maneira!...
Covardes!
....
A luz, a luz, o movimento insano,
Eis o aguilhão, a fé que nos abrasa...
Encarcerar a asa
É encarcerar o pensamento humano.
....
Falta-me a luz e o ar!... Oh, quem me dera
Ser abutre ou ser fera
Para partir o cárcere maldito!
E como a noite é límpida e formosa!

Nem um ai, nem um grito...
Que noite triste! oh noite silenciosa!..."

Enquanto Julieta dispensa o seu auxílio nos diálogos, Cruz e Sousa parece desvesti-la com os olhos. A câmara esmiuça o corpo, os gestos e fixa-se nos lábios, nos calcanhares, nas dobras da semi-encoberta cintura de Julieta, que inocentemente flerta com seu admirador. Cruz e Sousa não consegue disfarçar o fascínio e lhe endereça estrofes de sonetos (sem título) dedicados à ela e do poema "Julieta dos Santos".

CRUZ E SOUSA

É delicada, suave, vaporosa,
A grande atriz, a singular feitura...
É linda e alva como a neve pura,
Débil, franzina, divinal, nervosa...

....

Esse teu busto, a genial cabeça
Tão bem talhada
E burilada

....

Quando apareces tudo ri e chora,
Se endeusa, agita,
Como que palpita

....

Julieta dos Santos agora tem nas mãos uma bíblia que, ao final da estrofe que declama, a atira em direção à platéia que estaria assistindo ao espetáculo.

JULIETA DOS SANTOS

"Meus filhos, a existência é boa
Só quando é livre. A liberdade é a lei,
Prende-se a asa, mas a alma voa...
Ó filhos, voemos pelo azul!... Comei..."

....

Há mais fé e há mais verdade,
Há mais Deus com certeza
Nos cardos secos dum rochedo nu
Que nessa Bíblia antiga... Ó natureza,
A única Bíblia verdadeira és tu!..."

Ao terminar, surge à frente dela Cruz e Sousa, que lhe faz uma inequívoca declaração de paixão, deixando-a ainda mais coquete.

CRUZ E SOUSA

Quando apareces, fica-se impassível
E mudo e quedo, trêmulo, gelado!...
Quer-se ficar com atenção, calado,
Quer-se falar sem mesmo ser possível!...

Tudo emudece na natura imensa
Desde nos campos
Os pirilampos
Até as grimpas colossais do céu!...
Tudo emudece e até eu JULIETA,
Já delirante
Vou vacilante
Cair-te aos pés como um servil, um réu!!!

Seqüência IV

Exterior. Noite. Praia.

A beira mar, Julieta dos Santos, encimada num andor, é carregada por um pequeno cortejo de admiradores, alguns portando archotes, dentre eles, Virgílio Várzea, Araújo Figueiredo e Oscar Rosas. O feérico cortejo corre pela praia da ilha do Desterro como um balé. Andando ao lado de Julieta, Cruz e Sousa lhe endereça os versos do poema "Aspiração", que ela retribui com enlevados sorrisos:

CRUZ E SOUSA

Tu és a estrela e eu sou o inseto triste!
Vives no Azul, em cima nas esferas,
No centro das risonhas primaveras
Onde por certo o amor eterno existe.

E nem de leve a glória vã me assiste
De erguer o vôo às olímpicas quimeras
Do teu brilho ideal, lá onde imperas
Nesse esplendor a que ninguém resiste.

Enquanto tu fulgires nas alturas
Eu errarei nas densas espessuras,
Da terra sobre a rigidez de asfalto.

Embalde o teu clarão me enleva e clama!
Mas como a ti voarei, se, senti a chama,
Sou tão pequeno e o céu tão alto?

Os sonhos brancos de Cruz e Sousa.

Seqüência V

Exterior. Entardecer/Noite. Praia.

Cercado por um corredor constituído de uma dezena de pequenos sofisticados castelos de areia, vemos Cruz e Sousa, (de paletó, gravata, colete, sapatos), estatelado à beira-mar numa praia deserta. Estranhamente, Cruz e Sousa está de olhos fechados como se fora um cego. No final dos castelos, observando a cena de cima com um olhar sedutor, MULHER SEMI-NUA, branca e ruiva (em torno dos 20/25 anos) parece constituir-se no alvo de Cruz e Sousa. Com ar desolado, ele tenta se mover feito um caranguejo por entre a estranha arquitetura que se ergue à sua frente. À medida que se agita, com os braços, mãos, pernas e pés vai destruindo as frágeis construções de areia. Ouvem-se as estrofes dos poemas "Regina Coeli", "Papoula" e "Alda".

CRUZ E SOUSA

Ó Virgem branca. Estrela dos altares,
Ó Rosa pulcra dos Rosais polares!

Branca, do alvor de âmbulas sagradas
E das níveas camélias regeladas.

Das brancuras de seda sem desmaios
E da lua de linho em nimbo e raios.

....

Assim loura és mais formosa
Do que se fosses trigueira:
Corpo de eflúvios de rosa
Com esbeltez de palmeira.

....

Do teu branco leque aberto
Que lembra uma asa de garça,
Aspiro um perfume incerto,
Talvez a tua alma esparsa.

....

Alva, do alvor das límpidas geleiras,
Desta ressumbra candidez de aromas...
Parece andar em nichos e redomas
De Virgens medievais que foram freiras.

Corta para Cruz e Sousa exangue e desnudo deitado na areia da praia. Sobre ele debruça-se languidamente a mulher ruiva e branca da cena anterior. Ela põe-se a acariciá-lo enquanto lhe diz o poema "Afra", que ele em voz *Off Screen* ensaia um dueto.

CRUZ E SOUSA/MULHER SEMI-NUA

Ressurges dos mistérios da luxúria
Afra, tentada pelos verdes pomos,
Entre os silfos magnéticos e os gnomos
Maravilhosos da paixão púrpura.

Carne explosiva em pólvoras e fúria
De desejos pagãos, por entre assomos
Da virgindade – casquinantes momos
Rindo da carne já votada à incúria.

Votada cedo ao lânguido abandono,
Aos mórbidos delíquios como ao sono,
Do gozo haurindo os venenosos sucos.

Sonho-te a deusa das lascivas pompas,
A proclamar, impávida, por trompas,
Amores mais estéreis que os eunucos!

Seqüência VI

Interior/Exterior. Dia. Casa.

Debruçada na janela (ao fundo só aparecem sombras se movimentando dentro da casa) vê-se PEDRA ANTIÓQUIA, uma bela e sensual jovem negra, de mãos dadas com Cruz e Sousa, que está na rua. Eles se beijam furtivamente. Em resposta aos sorrisos dela, Cruz e Sousa lhe sussurra o poema "Flor do Mar":

CRUZ E SOUSA

És da origem do mar, vens do secreto,
Do estranho mar espumaroso e fio
Que põe rede de sonhos ao navio,
E o deixa balouçar, na vaga, inquieto.

Possuis do mar o deslumbrante afeto,
As dormências nervosas e o sombrio
E torvo aspecto aterrador, bravio
Das ondas no atro e proceloso aspecto.

Num fundo ideal de púrpuras e rosas
Surges das águas mucilaginosas
Como a lua entre a névoa dos espaços...

Trazes na carne o eflorescer das vinhas,
Auroras, virgens músicas marinhas,
Acres aromas de algas e sargaços...

Quando Cruz e Sousa tenta abraçá-la, Pedra Antióquia põe-se a cantar em ioruba no ouvido dele a "Cantiga dos Amantes".

PEDRA ANTIÓQUIA

Se você quiser ser meu amado
Pergunte primeiro à sua cabeça

Se você quer casamento
Pergunte primeiro à sua cabeça

Se você quiser ter dinheiro
Pergunte primeiro à sua cabeça

Se você quer construir uma casa
Pergunte primeiro à sua cabeça

Se você quiser ser feliz
Pergunte primeiro à sua cabeça

Oh! cabeça! Cabeça faça coisas boas chegarem a mim!
Ao seu lado sou seu bem-estar, suplicando
Fazendo-me sentir bem com a sorte
Minha sorte é meu querido esposo!...

Seqüência VII

Exterior/Interior. Noite. Jardim/Casa.

Nas proximidades de um casarão, atraído pelo som de uma música, Cruz e Sousa espiona através da janela uma menina tocando piano, tendo ao seu lado a mãe tão bela e alva quanto ela. Trata-se da pianista GEMMA CUNIBERTI, outra paixão adolescente e secreta do poeta. Como se a câmara interpretasse seu desejo, vemos a menina pelo olhar dele. Temendo ser descoberto, não ousa chegar mais perto. Enlevado, Cruz e Sousa fecha os olhos. Ouve-se o poema "Magnólia dos Trópicos" em *Voice Off* (V.O. – a voz em *off* do personagem – monólogo interior).

CRUZ E SOUSA (V.O.)

....

O teu colo pagão de virgens curvas finas
é o mais imaculado e flóreo dos altares,
onde eu vejo elevar-se eternamente aos ares
viáticos de amor e preces diamantinas.

Abre, pois, para mim, os teus braços de seda
e do verso através a límpida alameda,
onde há frescura e sombra e sol e murmurejo;

Vem! com a asa de um beijo à boca palpitando,
no alvoroço febril de um pássaro cantando,
vem dar-me a extrema-unção do teu amor num beijo.

Seqüência VIII

Exterior. Dia. Farra do Boi.

Seleta de filmes de arquivo e fotos, de vários anos, mostrando a "Farra do Boi" em Santa Catarina. Imagens do boi sendo perseguido e maltratado serve tanto como metáfora da própria vida do poeta e dos negros escravos e depois libertos, como o seu engajamento nas lutas abolicionistas. Interpretado por Cruz e Sousa ouvem-se em *off* estrofes do poema "Escravocratas". Na trilha, sons de açoites e gritos de dor, choro de crianças e mulheres.

CRUZ E SOUSA (V.O.)

Escravocratas!
Oh! trânsfugas do bem que sob o manto régio
Manhosos, agachados – bem como um crocodilo,
Viveis sensualmente à "luz" dum privilégio
Na "pose" bestial dum cágado tranqüilo.

Escravocratas!
Eu rio-me de vós e cravo-vos as setas
Ardentes do olhar – formando uma vergasta
Dos raios mil do sol, das iras dos poetas,
E vibro-vos à espinha – enquanto o grande basta

O basta gigantesco, imenso, extraordinário –
Da branca consciência – o rútilo sacrário
No tímpano do ouvido – audaz me não soar.

Escravocratas!
Eu quero em rude verso altivo adamastórico,*
Vermelho, colossal, d'estrépito, gongórico,

---

* Adamastor: citado por Luís de Camões em *Os Lusíadas*, é o gigante que protegia o Cabo da Boa Esperança e que tentou evitar que Vasco da Gama o ultrapassasse.

Castrar-vos como um touro – ouvindo-vos urrar!
Castrar-vos como um touro – ouvindo-vos urrar!
Castrar-vos como um touro – ouvindo-vos urrar!

Seqüência IX

Interior. Dia/Noite. Fundo infinito.

A cena é tomada por um superclose de Cruz e Sousa e do seu amigo Virgílio Várzea, em cujos olhos reflete-se uma espécie de fogo fátuo. Ambos dramatizam o texto de uma carta. Virgílio Várzea como que advinha as palavras de Cruz e Sousa.

CRUZ E SOUSA

"Adorado Virgílio, estou em maré de enjôo e mentalmente fatigado...

VIRGÍLIO VÁRZEA

Fatigado de tudo, de esperar sem fim por acessos na vida, que nunca chegam. Estou fatalmente condenado à miséria e à sordidez...

CRUZ E SOUSA

Não há por onde seguir. Todas as portas e atalhos fechados ao caminho da vida, e, para mim, pobre artista ariano, ariano sim porque adquiri, por adoção sistemática, as qualidades altas dessa grande raça...

VIRGÍLIO VÁRZEA

... para mim, que sonho com a torre de luar da graça e da ilusão, tudo vi escarnecedoramente, diabolicamente, num tom grotesco de ópera bufa.

Quem me mandou vir cá abaixo
à terra arrastar a calceta da vida!
Procurar ser elemento entre o espírito
humano? Para que? Um triste negro,
odiado pelas castas cultas, batido
das sociedades, mas sempre batido,
escorraçado de todo o leito, cuspido
de todo o lar como um leproso
sinistro! Pois como!
Ser artista com esta cor!"

Terminado o poema, a câmara revela que o que parecia um fogo fátuo são rolos de filme queimando.

Virgílio Várzea (Luigi Cutolo) e Cruz e Sousa.

Seqüência X

Interior. Dia. Oficina de jornal/Academia.

Na oficina de um jornal, vendo-se ao fundo paisagens ampliadas de cartões postais do Rio de Janeiro (início da década de 1890), caracteres vão manualmente formando palavras, os tipos gráficos da imagem ao vivo se transformam em títulos de jornais da época. Numa das manchetes lê-se "Fundadores da Academia Brasileira de Letras vetam Cruz e Souza". E no texto: "Até escritor inédito integra a recém-criada Academia de Letras." Sob o olhar ferino e sarcástico de Cruz e Sousa, seus fiéis amigos Nestor Vítor, Oscar Rosas, Araújo Figueiredo, Maurício Jubim e Virgílio Várzea encenam um triolé (versos irônicos, então muito populares). Abraçados ou sozinhos, todos individualmente ou em coro falam diretamente à câmara. Entrecortando a pantomima, herma de Machado de Assis com uma nevasca de pó de arroz caindo sobre a sua cabeça.

VIRGÍLIO VÁRZEA

Machado de Assis, assás,
Machado de assás, Assis;

ARAÚJO FIGUEIREDO

Oh! Zebra escrita com giz,
Pega na pena faz "zás",

NESTOR VÍTOR

Sae-lhe o "Borba"* por um triz.
Plagiário do "Gil Blás",**

---

* *Quincas Borba* é o título de um dos romances de Machado de Assis, publicado em 1891;

** Alain René le Sage (1668-1747), escritor francês, autor do romance picaresco *Gil Blás*.

Virgílio Várzea

Que, de Le Sage por trás,
Banalidades nos diz,

Oscar Rosas

Pavio que arde sem gaz,
Carranca de chafariz,

Nestor Vítor

Machado de Assis assás,
Machado de assás, Assis.

Seqüência XI

Interior. Dia. Sala de estar.

Numa sala de estar, Nestor Vítor lê para Virgílio Várzea que, com Oscar Rosas, Araújo Figueiredo, Tibúrcio de Freitas e Maurício Jubim alterna as estrofes, poema publicado na imprensa que agride Cruz e Sousa. À medida que ouvem os versos, sentem-se ofendidos pelo amigo que, inicialmente, parecia ausente, mas aos poucos a câmara vai surpreendê-lo acabrunhado no canto da sala.

NESTOR VÍTOR

Queridos amigos, ouçam este soneto
com o nome do nosso Cruz invertido
publicado hoje na "Gazeta de Notícias"
ironizando o seu vocabulário...
Por que tanta inveja e humilhação?

Depois de sentir a reação dos presentes, Nestor Vítor põe-se a ler o poema, mas antes enfatiza seu título que é "Na Costa d'África":

NESTOR VÍTOR

"Flava, bizarra, álacre e cintilante,
Na Epopéia de rufos de tambores,
Surge a manhã dos místicos vapores,
Do Levante irial, purpurejante...

VIRGÍLIO VÁRZEA

Gargalha o sol, – o Deus enamorante,
Cristais brunindo e rútilos fulgores
Na comunhão dos rubros esplendores,
N'África rude, bárbara, distante.

Oscar Rosas

E vinha então, torcicolosamente,
Numa dança macabra a turba ardente
De pretinhos a rir, trajando tanga...

Araújo Figueiredo

Festa convulsa, exata d'Alegria,
Fandangos, Bonzos – tudo enfim havia;
Missais, Broquéis, Pipocas, Bugigangas..."

Seqüência XII

Interior. Noite. Cartão postal.

Corta para Cruz e Sousa defronte a cartão agigantado onde se vê rosto de africano rindo. Dramatiza o poema "Ódio Sagrado":

CRUZ E SOUSA

Ó meu ódio, meu ódio majestoso,
Meu ódio santo e puro e benfazejo,
Unge-me a fronte com teu grande beijo,
Torna-me humilde e torna-me orgulhoso.

Humilde, com os humildes generoso,
Orgulhoso com os seres sem Desejo,
Sem bondade, sem Fé e sem lampejo
De sol fecundador e carinhoso.

Ó meu ódio, meu lábaro bendito,
Da minh'alma agitado no infinito,
Através de outros lábaros sagrados.

Ódio são, ódio bom! sê meu escudo
Contra os vilões do Amor, que infamam tudo,
Das sete torres dos mortais Pecados!

Seqüência XIII

Interior. Dia. Capela.

Numa pose solene, desviando o olhar da câmara, e reproduzindo a foto clássica de Cruz e Sousa, surge elegantemente trajado o ator que interpreta o poeta, que traz uma coroa de louros encimando a cabeça. Ao sopé do quadro ardem velas sobre o simulacro de um pequeno altar onde se vêem os livros póstumos *Evocações*, *Faróis* e *Últimos Sonetos* empilhados junto a ramos de flores silvestres. A cera, à medida que vai escorrendo, funde-se a vários dorsos desnudos, negros e brancos, que se movimentam num balé formando versos dos poemas e autógrafo de Cruz e Sousa. Sobre elas se sobrepõem as estrofes do poema "Encarnação" ditas por Cruz e Sousa, que assume a totalidade da tela.

CRUZ E SOUSA

Carnais, sejam carnais tantos desejos,
Carnais, sejam carnais tantos anseios,
Palpitações e frêmitos e enleios,
Das harpas da emoção tantos arpejos...

....

Sejam carnais todos os sonhos brumos
De estranhos, vagos, estrelados rumos
Onde as Visões do amor dormem geladas...

Sonhos, palpitações, desejos e ânsias
Formem, com claridades e fragrâncias,
A encarnação das lívidas Amadas!

Seqüência XIV

Exterior. Entardecer. Rio de Janeiro.

Cruz e Souza e Gavita saem de uma igreja nos arredores do Rio de Janeiro, em explícita atitude de namorados. Conversam à voz baixa. Cruz e Sousa fala (textos extraídos de cartas do poeta) meditando sob o olhar ora admirado ora perdido de Gavita. Outras vezes ambos se encaram mudos, apaixonados.

Cruz e Sousa

Quando estou a teu lado, Gavita,
esqueço-me de tudo, das ingratidões,
das maldades e só sinto que os teus
olhos me fazem morrer de prazer (...)

Gavita

A todas as horas o meu pensamento
voa para onde tu estás, vejo-te sempre,
sempre e nunca me esqueço de ti em
toda a parte onde estou. És a minha
preocupação constante, o meu desejo
mais forte, a minha alegria mais do
coração.

Cruz e Sousa

Sabes quanto eu te amo, quanto eu te
quero do fundo do meu sangue sobre
todas as mulheres do mundo. Fico
sempre alegre, contente, cheio de
orgulho, quanto te posso dizer que sou
e serei sempre teu, que hei de amar-te
até a morte, enchendo-te dos carinhos,
das amabilidades, dos extremos, das

distinções que só a ti eu quero dar,
idolatrada Gavita, adorável criatura
dos meus sonhos, dos meus cuidados
e pensamentos.

Seqüência XV

Interior. Dia. Quarto.

Corta para Gavita, deitada semi-nua num alvo leito nupcial com ricos arranjos florais. Discreta mancha de sangue feita de cera também colore a cena. Toda enlevada, balbucia as palavras de uma carta de Cruz e Sousa a ela.

GAVITA

Amo-te, amo-te muito, com todo
o meu sangue e com todo o meu
orgulho e o meu desejo poderoso
é unir-me a ti, viver nos teus braços,
protegido pela tua bondade pura,
pelas tuas graças que eu adoro,
pelos teus olhos que eu beijo.

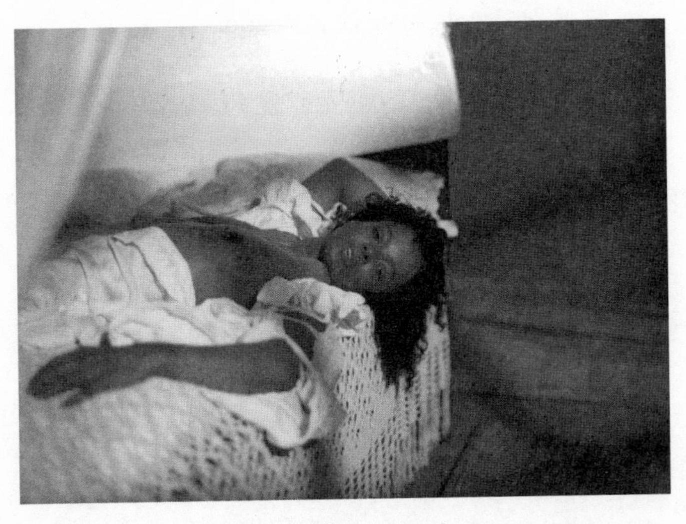

Gavita no leito nupcial.

Seqüência XVI

Interior. Noite. Quarto.

Corta para o cenário anterior do leito nupcial, agora apenas iluminado com longas velas, o que empresta ao quadro uma visível aura de romantismo. Gavita, tendo Cruz e Souza nos braços, sussurrando diz o poema "Grande Amor". Nas duas últimas estrofes, Cruz e Sousa fala em coro com ela.

GAVITA

Grande amor, grande amor, grande mistério
Que as nossas almas trêmulas enlaça...
Céu que nos beija, céu que nos abraça
Num abismo de luz profundo e sério.

Eterno espasmo de um desejo etéreo
E bálsamo dos bálsamos da graça,
Chama secreta que nas almas passa
E deixa nelas um clarão sidério.

GAVITA/CRUZ E SOUSA

Cântico de anjos e arcanjos vagos
Junto às águas sonâmbulas de lagos,
Sob as claras estrelas desprendido...

Selo perpétuo, puro e peregrino
Que prende as almas num igual destino,
Num beijo fecundado num gemido.

Seqüência XVII

Interior. Amanhecer. No mesmo quarto.

Cruz e Sousa acorda Gavita falando suavemente nos seus ouvidos. Enquanto suas palavras fluem compassadamente, Gavita abre os olhos, sorri e o cinge com carinho.

CRUZ E SOUSA

Só tu és a Rainha do meu amor, só tu
mereces meus beijos e os meus abraços
(...). Só tu és merecedora de que eu te
ame muito, como te amo, muito, muito,
muito e cada vez mais, com mais
firmeza, sempre fiel, sempre teu escravo
bom e agradecido, fazendo de ti minha
estrela, a esposa santa, a adorada
companheira dos meus dias...

Seqüência XVIII

Exterior. Dia. Cemitério cenográfico.

Sentado sobre túmulo enfeitado com arabescos e figuras nitidamente de inspiração simbolista, e tendo ao fundo painel pintado que situa a cena nas proximidades de uma igreja, Cruz e Sousa medita. Cruz e Sousa, visivelmente deprimido, num tom exclamatório, dramatiza versos do poema "Vida Obscura".

CRUZ E SOUSA

Ninguém sentiu o teu espasmo obscuro,
Ó ser humilde entre os humildes seres.
Embriagado, tonto dos prazeres,
O mundo para ti foi negro e duro.

Atravessaste num silêncio escuro
A vida presa a trágicos deveres
E chegaste ao saber de altos saberes
Tornando-te mais simples e mais puro.

Ninguém te viu o sentimento inquieto,
Magoado, oculto e aterrador, secreto,
Que o coração te apunhalou no mundo.

Mas eu que sempre te segui os passos
Sei que cruz infernal prendeu-te os braços
E o teu suspiro como foi profundo!

Seqüência XIX

Exterior. Dia. Sala.

O cadáver, vestido de branco, do velho pai Guilherme encontra-se estendido numa tosca cama coberto por um lençol branco. À cabeceira da cama, a mulher dele, Carolina, embrulhada como uma múmia (ela já está morta). O ambiente está vazio. A única luz são algumas velas acesas. Trechos da prosa poética "Abrindo Féretros (Carolina e Guilherme)" são murmurados por Cruz e Sousa e Carolina.

CRUZ E SOUZA

....

Sim! Criatura dos Anjos que, no entanto,
o Inferno possuiu e por fim acabou por
estrangular! Coração sangrante! Ser do
meu ser! Os outros seres (...) nunca
saberão, melancolicamente não, nunca,
que hóstia sanguinolenta e travorosa
deram-te a comungar na Vida,...

Assumindo a voz de Cruz e Sousa, com as lágrimas escorrendo pelo rosto, Carolina continua dizendo o poema em prosa.

CAROLINA

... que pão tenebroso de Páscoa de
lágrimas deram-te a devorar, que cálix
de vinho letal, alucinante, sugado
ao fel das chagas e das gangrenas
propinaram-te à boca verminada
pelo primeiro beijo de amor, quando
tu tinhas as fomes e as sedes...

Cruz e Sousa

... vorazes, cegas, desesperadas do
Não-Ser, quando aspiravas às formas
celestes, quando sentias, apesar da
tua inocuidade de poeira mas, talvez!,
poeira de algum divino astro diluído,
o insaciável desejo de abranger Infinitos.

Carolina (repete)

... quando aspiravas às formas celestes,
quando sentias, apesar da tua inocuidade
de poeira mas, talvez!, poeira de algum
divino astro diluído, o insaciável desejo
de abranger Infinitos.

Agora a câmara começa lentamente a "sobrevoar" a cama e a mulher, vendo-se ao fundo, como se não pudesse chegar perto, a figura de Cruz e Sousa.

Cruz e Sousa

....

Eu, longe que andava, ausente do teto
e onde exalaste o derradeiro gemido,
não te pude ver no belo desdém,
tranqüilo da morte às vaidades da vida.
Não te fui fechar os olhos,
compungidamente, com a delicadeza
amorável das minhas mãos trêmulas,
nem passar para eles, em fluidos
ardentes, o magoado adeus dos
meus olhos. Não te pude dizer,
de manso, bem junto aos meus olhos
e coração moribundo, com toda

a volúpia da minha dor, as untuosas
e extremas palavras da separação,
as coisas inefáveis e gementes
no dilacerante momento em que
nossos braços abandonam para
nunca mais apertar, os amados braços
que já estão vencidos, entregues
ao renunciamento de tudo e que
nós tanto e tão acariciadamente
apertamos. Mas nada importa
a Vida e nada importa a Morte!

Na mesma cena, imerso na escuridão, vela ao fundo, Cruz e Sousa, ainda com réstias de lágrimas brilhando sob os olhos, primeiro em silêncio, repentinamente encarando a câmara, fala trechos da prosa "Obsessão da Noite":

CRUZ E SOUSA

....

Esse luto, essa noite, essa treva é
o que desejo. Treva deliciosa que me
anule entre a degenerescência dos
sentimentos humanos. Treva que me
disperse no caos, que me eterifique,
que me dissolva no vácuo, como
um som noturno e místico de
floresta, como um vôo de pássaro
errante. Treva, sem fim, que seja
o meu manto sem estrelas, que
eu arraste indiferente e obscuro
pelo mundo afora, arredado dos
homens e das coisas, confundido
no supremo movimento da
natureza, como um ignorado braço

do ruim que através de profundas
selvas escuras vai sombria e
misteriosamente morrer no mar...

A mãe do poeta, Carolina (Léa Garcia) e Cruz e Sousa.

Seqüência XX

Interior/Exterior. Dia/Noite. Estúdio.

Encadeamento de *portrais* com uma série de travestis preferencialmente negros e mulatos, entrecortados com fotos de violência urbana contra eles. Em *Off* a voz de Cruz e Sousa diz o poema "Litania dos Pobres". Nenhuma cena deve coincidir com palavras e imagens criadas no poema.

CRUZ E SOUSA (V.O)

Os miseráveis, os rotos
São as flores dos esgotos.

São espectros implacáveis
Os rotos, os miseráveis.

São prantos negros de furnas
Caladas, mudas, soturnas.

São os grandes visionários
Dos abismos tumultuários.

As sombras das sombras mortas
Cegos, a tatear nas portas.

Procurando o céu, aflitos
E varando o céu de gritos.

Faróis à noite apagados
Por ventos desesperados.

Ó pobres! Soluços feitos
Dos pecados imperfeitos!

Imagens dos deletérios,
Imponderáveis mistérios.

Bandeiras rotas, sem nome,
Das barricadas da fome.

Ó pobres! o vosso bando
É tremendo, é formidando!

Que as vossas almas trevosas
Vêm cheias de odor das rosas.

Que por entre os estertores
Sois uns belos sonhadores.

Seqüência XXI

Exterior. Noite. Praia.

Como se fora um cão uivando para a lua, um Cruz e Sousa silhuetado encara uma lua *fake* intensamente clara para estabelecer o contraste entre sua negritude e a brancura dela. Diz trechos da prosa poética "Asco e Dor".

CRUZ E SOUSA

Dor e asco d'essa salsugem de raça
entre as salsugens das outras raças.
Dor e asco d'essa raça da noite,
noturnamente amortalhada, d'onde
eu vim através do mistério da célula....
....
Dor e asco d'esse apodrecido e letal
paul de raça que deu-me este luxurioso
orgão nasal que respira com ansiedade
todos os aromas profundos e secretos...
....
... estas mãos longas que mourejam
tanto e tão rudemente; este órgão
vocal através do qual sonambula
e nebulosamente gemem e tremem
veladas saudades e aspirações já mortas...
....
este coração e este cérebro, duas serpentes
convulsas e insaciáveis que me mordem,
que me devoram com os seus tantalismos.
Dor e asco...

Seqüência XXII

Interior. Dia. Sala de estar.

Nestor Vítor, de pé no meio da sala, sem paletó, está abrindo uma carta que acaba de receber. Começa a lê-la em voz baixa enquanto procura uma poltrona para se sentar.

NESTOR VÍTOR

"Meu grande amigo, peço-te que
venhas com a máxima urgência a
minha casa, pois minha mulher está
acometida de uma exaltação nervosa,
devido ao seu cérebro fraco que,
apesar das minhas palavras enérgicas
em sentido contrário e da minha
atitude de franqueza em tais casos,
acredita em malefícios e perseguições
de toda a espécie. Cá te direi tudo.
A tua presença me aclarará o alvitre
que devo tomar. Escrevo-te
dolorosamente aflito.
Teu Cruz e Sousa."

Seqüência XXIII

Interior. Dia. Longo corredor.

O rosto de Cruz e Sousa todo em primeiro plano: atrás dele, a mulher Gavita roça nervosa e angustiada corpo e o rosto nas paredes de um tortuoso e dramaticamente iluminado corredor. Também na cena duas crianças entre três e cinco anos junto a berço com nenê dormindo assistem a tudo perplexas, talvez chorem. Com lágrimas nos olhos, Cruz e Sousa fala para a câmara versos do poema "Inexorável".

CRUZ E SOUSA

Ó meu amor, que já morreste,
Ó meu amor, que morta estás!
Lá nessa cova a que desceste,
Ó meu amor que já morreste,
Ah! nunca mais florescerás?!

Ao teu esquálido esqueleto,
Que tinha outrora de uma flor
A graça e o encanto do amuleto;
Ao teu esquálido esqueleto
Não voltará novo esplendor?!

Gavita movimenta-se de um lado para o outro como uma bailarina imaginária. Tem os cabelos despenteados, braços amarrados dentro de um roto guarda-pó. Estranhamente emite sons que ficam entre o choro e uma inaudível cantoria. Cheio de compaixão, no entanto, Cruz e Sousa sente-se impotente para socorrê-la. Com o rosto debruçado sobre o dela, e ambos enchendo a tela, Cruz e Sousa põe-se a murmurar o poema "Ressurreição".

CRUZ E SOUSA

Alma! Que tu não chores e não gemas,
Teu amor voltou agora.

Ei-lo que chega das mansões extremas,
Lá onde a loucura mora!
....
Não sinto mais o teu sorrir macabro
De desdenhosa caveira.
Agora o coração e os olhos abro
Para a Natureza inteira!

Negros pavores sepulcrais e frios
Além morreram com o vento...
Ah! Como estou desafogado em rios
De rejuvenescimento!
....
Porém tu, afinal, ressuscitaste
E tudo em mim ressuscita.
E o meu Amor, que repurificaste,
Canta na paz infinita!

Pelas reações de Gavita, parece que ela vai conseguindo sair da "loucura". Com um sorriso nos lábios, Gavita põe-se a cantar a modinha "Desde o dia", de Domingos Caldas Barbosa.

GAVITA

"Desde o dia,
Em que eu nasci,
Naquele funesto dia
Vejo bafejar-me ao berço
A cruel melancolia

Fui crescendo
E nunca pude
Ver a face da alegria
Foi sempre a minha herança
A cruel melancolia."

O rosto antes entristecido do poeta começa a transmitir uma grande alegria interior. Lentamente Gavita se acalma e ambos se abraçam chorando.

Seqüência XXIV

Interior. Noite. Estúdio.

Os amigos Nestor Vítor, Araújo Figueiredo, Virgílio Várzea e Oscar Rosas aparecem debruçados sobre um imaginário Cruz de Sousa já adoentado, que depois surge deslizando pelos manguezais dentro de uma canoa. Ouvem-se versos do poema "Violões que Choram".

CRUZ E SOUSA (V.O.)

Ah! plangentes violões dormentes, mornos,
Soluços ao luar, choros ao vento...
Tristes perfis, os mais vagos contornos,
Bocas murmurejantes de lamento.

ARAÚJO FIGUEIREDO

Quando os sons dos violões vão soluçando,
Quando os sons dos violões as cordas gemem,
E vão dilacerando e deliciando,
Rasgando as almas que nas sombras tremem.

CRUZ E SOUSA (V.O.)

Vozes veladas, veludosas vozes,
Volúpias dos violões, vozes veladas,
Vagam nos velhos vórtices velozes
Dos ventos, vivas, vãs, vulcanizadas.

NESTOR VÍTOR

Que céu, que inferno, que profundo inferno,
Que ouros, que azuis, que lágrimas, que risos,
Quanto magoado sentimento eterno
Nesses ritmos trêmulos e indecisos...

VIRGÍLO VÁRZEA

Que anelos sexuais de monjas belas
Nas ciliciadas carnes tentadoras,

Vagando no recôndito das celas,
Por entre as ânsias dilaceradoras...

Oscar Rosas

Que procissão sinistra de caveiras,
De espectros, pelas sombras mortas, mudas...
Que montanhas de dor, que cordilheiras
De agonias aspérrimas e agudas.

Tibúrcio de Freitas

Toda essa labiríntica nevrose
Das virgens nos românticos enleios;
Os ocasos do Amor, toda a clorose
Que ocultamente lhes lacera os seios;

Cruz e Sousa (V.O.) (repete)

Vozes veladas, veludosas vozes,
Volúpias dos violões, vozes veladas,
Vagam nos velhos vórtices velozes
Dos ventos, vivas, vãs, vulcanizadas.

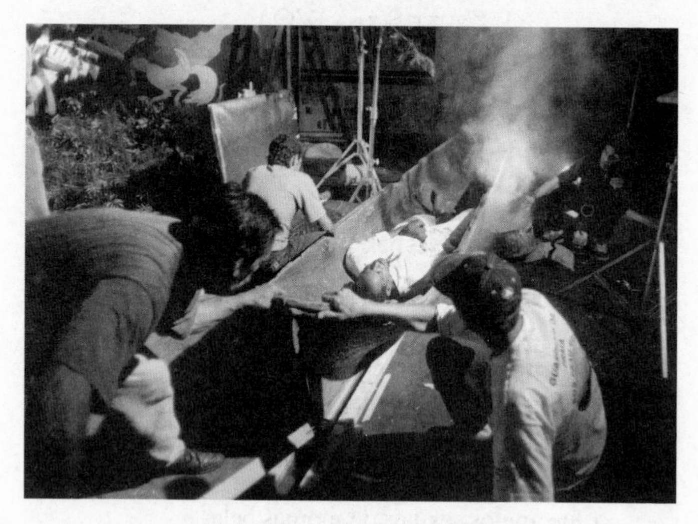

Filmagem de "Violões que Choram..."

Seqüência XXV

Exterior. Dia. Varanda.

Olhando para o mar à sua frente, vemos a ex-noiva Pedra Antióquia entoando trechos do mesmo canto de amor em ioruba da Seqüência VI. Em tom choroso, ela põe-se a dizer o poema "Ilusões Mortas".

PEDRA ANTIÓQUIA

Os meus amores vão-se mar em fora,
E vão-se mar em fora os meus amores,
A murchar, a murchar, como essas flores
Sem mais orvalho e a doce luz da aurora.

E os meus amores não virão agora,
Não baterão as asas multicolores,
Como aves mansas – dentre os esplendores
Do meu prazer, do meu prazer de outrora.

Tudo emigrou, rasgando a esfera branca
Das ilusões, – tudo em revoada franca
Partiu – deixando um bem-estar saudoso

No fundo ideal de toda a minha vida,
Qual numa taça a gota indefinida
De um bom licor antigo e saboroso.

Seqüência XXVI

Interior. Noite. Sala de casa.

Tentando escrever com o lusco-fusco da vela, tossindo, suado, tomando goles de café, Cruz e Sousa, o rosto amargurado, barba por fazer, tenta escrever uma carta com bastante dificuldade.

CRUZ E SOUSA

"Meu Nestor Vítor, não sei se estará
chegando realmente o meu fim; – mas
hoje pela manhã tive uma síncope tão
longa que supus ser a morte. No
entanto, ainda não perdi nem perco
de todo a coragem. Há 15 dias tenho
tido uma febre doida, devido,
certamente, ao desarranjo intestinal
em que ando.
Mas o pior, meu velho, é que estou
numa indigência horrível, sem vintém
para remédios, para leite, para nada,
para nada! um horror! Gavita
diz que eu sou um fantasma, que
anda pela casa!"

Seqüência XXVII

Interior. Dia. Quarto da casa.

Vemos Cruz e Sousa prostrado numa cama, tossindo muito. Gavita grávida é cheia de desvelos, trazendo toalhas, recolhendo livros e papéis do chão. Os filhos brincam por ali. Recolhendo-se a um canto do quarto, Gavita, põe-se a sussurrar estrofes do poema "Anima Mea":

GAVITA

Ó minh'alma, ó minh'alma, ó meu Abrigo,
Meu sol e minha sombra peregrina,
Luz imortal que os mundos ilumina
Do velho Sonho, meu fiel Amigo!
....
De onde é que vem tanta esperança vaga,
De onde vem tanto anseio que me alaga,
Tanta diluída e sempiterna mágoa?

Ah! de onde vem toda essa estranha essência
De tanta misteriosa Transcendência,
Que este olhos me deixa rasos de água?!

Seqüência XXVIII

Interior. Noite. Mesmo quarto.

Cruz e Sousa é surpreendido na cama por uma estranha voz que vem de uma parede fortemente iluminada. Ele põe-se a roçar os ouvidos nela e se dá conta que é a sua própria voz. Ouve estrofes esparsas do poema "Tuberculosa".

CRUZ E SOUSA (V.O.)

A enfermidade vai-lhe, palmo a palmo,
Ganhando o corpo, como nun terreno...
E com prelúdios místicos de salmo
Cai-lhe a vida em crepúsculo sereno.

Jamais há de ela ter a cor saudável
Para que a carne do seu corpo goze
Que o que tinha esse corpo de inefável
Cristalizou-se na tuberculose.

Foge ao mundo fatal, arbusto débil,
Monja magoada dos estranhos ritos,
Ó trêmula harpa soluçante, flébil,
Ó soluçante, flébil eucaliptus..

Seqüência XXIX

Exterior. Entardecer. Dunas.

No seu delírio Cruz e Sousa vê a ex-noiva Pedra Antióquia, inteiramente nua, correndo sobre dunas de areia em sua direção. Enquanto ele a observa de pé, também inteiramente desnudo, Pedra surge rastejando como uma serpente provocando-o com sorrisos e olhares erotizantes. A câmara procura traduzir o delírio verbal que explode em Cruz e Sousa. (estrofes dos poemas "Rosa Negra", "Boca", "Aspiração" e "Seios"). Suas palavras alternam entre serem ditas em sincro ou fora de cena, ou simultaneamente como se fora um coro da mesma voz. A câmara literalmente "esfrega-se" no corpo de Pedra Antióquia.

CRUZ E SOUSA (O.S.)

Flor do delírio, flor do sangue estuoso
Que explode, porejando, caudaloso,
Das volúpias da carne nos gemidos.

Rosa negra da treva, Flor do nada,
Dá-me essa boca acídula, rasgada,
Que vale mais que os corações proibidos!
....
Boca viçosa, de perfume a lírio,
Da límpida frescura da nevada,
Boca de pompa grega, purpureada,
Da majestade de um damasco assírio.

depois contorna demoradamente os seios, as axilas...

....

Quisera ser a serpe veludosa
Para, enroscada em múltiplos novelos,
Saltar-se aos seios de fluidez cheirosa

E babujá-los e depois mordê-los...
....
Ó seios virginais, tálamos vivos
Onde do amor nos êxtases lascivos
Velhos faunos febris dormem sonhando...

descendo para o umbigo e num movimento dela, detém-se nas nádegas. Finalmente, a partir de um ângulo baixo nas pernas entreabertas, colado às coxas, a câmara vai – muito lentamente – se aproximando do triângulo pubiano (que se transforma numa esvoaçante macega) e sobre ele põe-se a rodar sem parar. Ofegante, Cruz e Sousa não pára de descrever poeticamente a paisagem da tela. Tem-se a sensação que atinge o orgasmo.

CRUZ E SOUSA

... E que a tua vulva veludosa, afinal!
Vermelha, acesa e fuzilante como
forja em brasa, santuário sombrio
das transfigurações, câmara mágica
das metamorfoses, crisol original das
genitais impurezas, fonte tenebrosa
dos êxtases, dos tristes, espasmódicos
suspiros e do Tormento delirante da
Vida...
....
... que a tua vulva, afinal, vibrasse
vitoriosamente o ar com as trompas
marciais e triunfantes da apoteose
soberana da Carne!

Seqüência XXX

Interior. Noite. Quarto.

Cruz e Sousa encontra-se na cama acordando do sonho quando ouve suaves acordes de violino. No outro extremo do quarto, vai surgindo – encimada numa espécie de pedestal – a menina violonista Giuletta Dionesi. Fitando-o nos olhos, ela executa uma melodia para ele, que logo a reconhece e explode em lembranças, tartamudeando estrofes dos poemas "Giuletta Dionesi" e "À Giuletta Dionesi"

CRUZ E SOUSA

Ah! Giuletta!
Ah! peregrina do país do sonho
Flor luminosa da região sonora
No teu suave coração risonho
Vibram triunfantes os clarins da aurora.

....

Para a tua alma delicada e doce
eu estas rosas delicadas trouxe
Trouxe-te rosas, divinal criança,
para te perfumarem d'esperança

Rosas que são toda a minh'alma acesa,
no teu mavioso violino presa.

Rosas com que eu te aplaudo os grandes rastros,
porque não tenho pássaros nem astros.

Terminado o poema, a imagem da menina se desvanece e voltamos para Cruz e Sousa que, subitamente, retomando o brilho dos olhos, começa a tirar a roupa enquanto diz o poema "Dilacerações":

Ó carnes que eu amei sangrentamente,
Ó volúpias letais e dolorosas,
Essências de heliotrópios e de rosas
De essência morna, tropical, dolente...

Carnes virgens e tépidas do Oriente
Do Sonho e das Estrelas fabulosas,
Carnes acerbas e maravilhosas,
Tentadoras do sol intensamente...

Passai, dilaceradas pelos zelos,
Através dos profundos pesadelos
Que me apunhalam de mortais horrores...

Passai, passai, desfeitas em tormentos,
Em lágrimas, em prantos, em lamentos,
Em ais, em luto, em convulsões, em dores...

"Ó carnes que eu amei sangrentamente..."

Seqüência XXXI

Interior. Noite. Quarto.

Corta para os amigos de Cruz e Sousa, Nestor Vítor, Virgílio Várzea, Oscar Rosas, Araújo Figueiredo, Maurício Jubim (desenhando Cruz e Sousa) e Tibúrcio de Freitas, cercando seu leito, "tomam-lhe" a palavra depois que é surpreendido por um violento acesso de tosse, seguido de escarros de sangue. Todos se comportam como se estivessem dando entrevista, fitando a câmara. Trechos de cartas, escritas e/ou recebidas por Cruz de Sousa servem como diálogo.

ARAÚJO FIGUEIREDO

"Lancinado, com o coração sangrante como uma facada virgem, passei os olhos triste pela tua carta. Acredito religiosamente, como sempre, no que nesta carta branca me disseste, no que nessa carta a tua alma afetuosíssima tão...

NESTOR VÍTOR

...claramente fotografou. É mesmo assim, é mesmo assim a vida intelectual neste país de safardanas...

CRUZ E SOUSA

Hei de morrer logo, mas hei de deixar nome!

TIBÚRCIO DE FREITAS

Que os meus braços amigos te apertem bem de encontro ao meu coração, no momento em que

receberes estas linhas saudosas.
Mas escrevo-tas, meu querido
irmão, com a alma dilacerada de
angústias, porque me vejo morrer
aos poucos...

OSCAR ROSAS

Já vês, pois, meu querido, que todo
mundo é assim: em Santa Catarina,
no Rio de Janeiro, em Paris,
em Londres, em Berlim, em
S. Petesturgo, em Roma e
New York, etc., tudo é o mesmo...
o mérito sempre encontra a infâmia,
a descompostura, a inveja.(...)

CRUZ E SOUSA

Hei de morrer logo, mas hei de
deixar nome!

VIRGÍLIO VÁRZEA

Isto aqui, dia-a-dia, ordinamiza-se
mais. Já nem tenho jeito para viver.
De repente embarco-me aqui sem
destino, para todos os pontos do
mundo, que sei eu. ... Meu Cruz,
estou farto. Esta terra...

ARAÚJO FIGUEIREDO

... está abaixo da merda e o seu
povo muito mais ainda. Não sei
em que irá parar isto. Adeus.
Deito-me nos teus braços.

Corta para Cruz e Sousa no fundo da cama encarando os amigos num tom quase inaudível:

CRUZ E SOUZA

Não imaginas o que se tem passado
por meu ser, vendo a dificuldade
tremendíssima, formidável em que
está a vida no Rio de Janeiro.(...)
Todas as portas e atalhos fechados
ao caminho da vida... Hei de morrer
logo, mas hei de deixar nome."

Seqüência XXXII

Interior. Dia. Poço.

Cruz e Sousa encontra-se afundado num poço, age como se estivesse preso, debatendo-se para sair. Olhando para a câmara, faz candente balanço existencial. São trechos da prosa poética "O Emparedado".

CRUZ E SOUSA

... Mas, que importa tudo isso?! Qual é
a cor da minha forma, do meu sentir?
Qual é a cor da tempestade
de dilacerações que me abala? Qual a
dos meus sonhos e gritos? Qual a
dos meus desejos e febre?
Artista?! Loucura! Pode isso ser se tu
vens dessa longínqua região desolada,
lá do fundo exótico dessa África
sugestiva, gemente!
Não! Não! Não! Não transporás os
pórticos milenários da vasta
edificação do Mundo, porque atrás
de ti e adiante de ti não sei quantas
gerações foram acumulando,
acumulando pedra sobre pedra,
pedra sobre pedra, que para aí
estás agora o verdadeiro emparedado
de uma raça.
Se caminhares para a direita baterás
e esbarrarás ansioso, aflito, numa
parede horrendamente incomensurável
de Egoísmos e Preconceitos!
Se caminhares para a esquerda, outra
parede, de Ciências e Críticas, mais

alta do que a primeira, te mergulhará
profundamente no espanto!
Se caminhares para a frente, ainda
nova parede, feita de Despeitos e
Impotências, tremenda, de granito,
broncamente se elevará ao alto! Se
caminhares, ènfim, para trás, ah! ainda,
uma derradeira parede, fechando tudo,
fechando tudo horrível! – parede de
Imbecilidade e Ignorância, te deixará
num frio espasmo de terror absoluto...
E, mais pedras, mais pedras se
sobreporão às pedras já acumuladas,
mais pedras, mais pedras... Pedras
dessas odiosas, caricatas fatigantes
Civilizações e Sociedades... Mais
pedras, mais pedras! E as estranhas
paredes hão de subir – longas, negras,
terríficas! Hão de subir, subir, subir
mudas, silenciosas, até às Estrelas,
deixando-te para sempre perdidamente
alucinado e emparedado dentro do teu
Sonho...

Seqüência XXXIII

Exterior. Dia. Estação.

Cruz e Sousa e Gavita (grávida) preparam-se para pegar o trem. Com eles, despedindo-se o fiel amigo Nestor Vítor. Amparado pela mulher, é notável a debilidade do poeta, a decadência da sua roupa. Soçobrando todos os livros que publicou e viria a publicar *post-mortem*, Cruz e Sousa estende-os para Nestor Vítor, que compreende do que se trata.

CRUZ E SOUSA

Meu doce amigo, aqui está tudo
que consegui escrever... É tudo seu...
Estou sem forças...

Enquanto o trem vai se afastando, com Nestor Vítor na plataforma, ouvem-se estrofes dos poemas "A Morte" e "Pacto de Almas" (Para Sempre!).

NESTOR VÍTOR

Oh! que doce tristeza e que ternura
No olhar ansioso, aflito dos que morrem...
De que âncoras profundas se socorrem
Os que penetram nessa noite escura!

Cruz e Sousa debruçado na janela do trem parece estar ouvindo o amigo lhe endereçando seus próprios versos premonitórios. E trocando um último olhar com ele, põe-se a respondê-lo "sem palavras".

CRUZ E SOUSA (V.O.)

Ah! para sempre! para sempre! Agora
Não nos separaremos nem um dia...
Nunca mais, nunca mais, nesta harmonia
Das nossas almas de divina aurora.
A voz do céu pode vibrar sonora

Ou o Inferno a sinistra sinfonia,
Que num fundo de astral melancolia
Minh'alma com a tu'alma goza e chora

NESTOR VÍTOR

Para sempre está feito o augusto pacto!
Cegos seremos do celeste tato,
Do Sonho envoltos na estrelada rede,

CRUZ E SOUSA

E perdidas, perdidas no Infinito
As nossas almas, no Clarão bendito,
Hão de enfim saciar toda esta sede...

NESTOR VÍTOR (REPETE)

E perdidas, perdidas no Infinito
As nossas almas, no Clarão bendito,
Hão de enfim saciar toda esta sede...

"Oh! que doce tristeza e que ternura
No olhar ansioso, aflito dos que morrem..."

Seqüência XXXIV

Exterior. Entardecer. Farol do mar.

Com lágrimas no olhar perdido, encarando a vastidão do oceano, Cruz e Sousa dirigindo-se ao horizonte do mar à sua frente dramatiza versos do poema "Esquecimento". A sensação de solidão aumenta à medida que a câmara se afasta até enquadrar o personagem de longe, do ponto de vista de um helicóptero em vôo circular sobre o farol.

CRUZ E SOUSA (V.O.)

Rio do esquecimento tenebroso,
Amargamente frio,
Amargamente sepulcral, lutuoso,
Amargamente rio!

Ó meu verso, ó meu verso, ó meu orgulho,
Meu tormento e meu vinho,
Minha sagrada embriaguez e arrulho
De aves formando ninho.

Ó meu verso, ó meu verso soluçante,
Meu segredo e meu guia,
Tem dó de mim lá no supremo instante
Da suprema agonia.

Não te esqueças de mim, meu verso insano,
Meu verso solitário,
Minha terra, meu céu, meu vasto oceano,
Meu templo, meu sacrário.

Rio do esquecimento tenebroso,
Amargamente frio,
Amargamente sepulcral, lutuoso,
Amargamente rio!

Seqüência XXXV

Exterior. Noite. Rua.

Desfile da ESCOLA DE SAMBA COPA LORD, de Florianópolis, cujo enredo é a vida-e-obra de Cruz e Sousa. No meio das alas que evoluem ao som do samba-enredo, vai surgindo a figura de Cruz e Sousa, elegantemente trajado. Ao final da música, o ator "desincorpora-se" do personagem com um sorriso para a câmara. É a celebração do poeta que, cem anos depois de sua morte, continua vivo na lembrança do povo.

CORO

"Coração abre as portas à poesia
e viaja nas rimas do nosso poeta maior
voa e revoa entre as estrelas de ternura
e se apaixona
por esse mundo de emoções e fantasias

São belezas eternas em versos e prosas
loucura divina
segredos da alma
florescem no peito do artista
e deságua nas águas
da extrema desventura
herói moral da nossa literatura

Lua, luar
encanta o amor
por Gavita bela negra flor

Velho vento, violões que chora, vesperal
sonata, recolta de estrelas a ressurreição
obras de um poeta iluminado
Cruz e Sousa és luz de inspiração
astro noturno, desterro é teu chão

Lá vem a Copa Lord aí
feliz
dando um banho de cultura em meu
país
cantando em harmonia seu Carnaval
com o Cisne Negro universal."

FIM

Fontes de pesquisa

ALVES, Uelinton Farias. *Reencontro com Cruz e Sousa.* Florianópolis, Papa-Livro Editora, 1996.

BASTIDE, Roger. *A poesia afro-brasileira.* São Paulo, Martins Editora, 1943.

CRUZ E SOUSA. *Obra Completa* (org. Andrade Murici; atualização e notas Alexei Bueno). Rio de Janeiro, Editora Nova Aguilar, 1995.

LEMINSKI, Paulo. *Cruz e Sousa, o negro branco.* São Paulo, Brasiliense, 1983.

MAGALHÃES JÚNIOR, Raimundo. *Poesia e Vida de Cruz e Sousa.* São Paulo, Editora das Américas, 1961.

MALHEIROS, Eglê. *Vozes Veladas* (teatro). Porto Alegre, Movimento, 1995.

MONTENEGRO, Abelardo F. *Cruz e Sousa e o Movimento Simbolista no Brasil.* Florianópolis, Fundação Catarinense de Cultura, 1988.

MURICI, José Cândido de Andrade. *O Simbolismo – À Sombra das Araucárias (Memórias).* Rio de Janeiro, Departamento de Imprensa Nacional, 1976.

______, *Panorama do Movimento Simbolista Brasileiro.* Vol. I. Rio de Janeiro, Instituto nacional do Livro, 1952.

MUZART, Zahidé Lupinacci. *Cartas de Cruz e Sousa.* Florianópolis, Letras Contemporâneas, 1993.

Revista "Continente Sul Sur" (textos de Eglê Malheiros, Anelito de Oliveira, Salim Miguel, Paulo Seben, Ricardo Vieira Lima, Rodrigo de Haro, Ivone Daré Rabello, Raul Antelo, Sonia Bayner, Luis Augusto Fischer, Maria Luiza Berwanger da Silva, Zahidé Lupinacci Muzart, Regina Zilberman, Walter Carlos Costa, Oliveira Silveira, Zilá Bernd, Olavo Bilac, Artur da

Távola, Alphonsus de Guimaraes Filho, Alceu Wamosy, Ronald Augusto, Ernani Rosas, Hermes Fontes, Gilberto Mendonça Teles, Alcides Buss, Haroldo Pereira). Porto Alegre, Instituto Estadual do Livro, 1998.

Revista "Morcego Cego", Ano II – Nº 2 (textos de Iaponan Soares, Ubiratan Machado, Raul Antelo, Ivone Daré Rabello, Simone Rossinetti Rufinoni, Wellington de Almeida Santos, Dimas Macedo, Luiz Silva (Cuti), Ronald Augusto, Mário Hora, Ricardo Jaymes Freyre). Florianópolis, Museu/Arquivo da Poesia Escrita, 1999.

Revista "Travessia 26 Cruz e Sousa" (textos de Danilo Lobo, Cassiano Nunes, Ir.Elvo Clemente, Ubiratan Machado, Celestino Sachet, Gilberto Mendonça Teles, Ronaldo Assunção, Carmen Lúcia Zambon Firmino, Glória Carneiro do Amaral, Marie-Hélène Torres, Tânia Regina Oliveira Ramos, Wellington de Almeida Santos, Zahidé Lupinacci Muzart, Sonia Brayner, Donaldo Schüler e Nestor Omar Del-Pino). Florianópolis, Editora da UFSC, 1993.

SOARES, Iaponan. *Ao Redor de Cruz e Sousa*. Florianópolis, Editora da UFSC, 1988.

SOARES, Iaponan & NUNES, Zilma Gesser. *Cruz e Sousa Dispersos*. São Paulo, Fundação Editora da UNESP, 1998.

TORRES, Marie-Hélène Catherine. *Cruz e Sousa e Baudelaire – Satanismo Poético*. Florianópolis, Editora da UFSC, 1998.

Sylvio Back, 62, é cineasta, poeta e escritor. Ex-jornalista e crítico de cinema, autodidata, em 1962 inicia-se na direção cinematográfica. Até hoje dirigiu e produziu a maioria de seus 35 filmes de curta, média e (nove) longas-metragens: *Lance Maior*(1968), *A Guerra dos Pelados* (1971), *Aleluia, Gretchen* (1976), *Revolução de 30* (1980), *República Guarani* (1982), *Guerra do Brasil* (1987), *Rádio Auriverde* (1991), *Yndio do Brasil* (1995) e *Cruz e Sousa – O Poeta do Desterro* (1999).
Tem editados dezessete livros – entre poesia, ensaios e os argumentos/roteiros dos filmes. Em 1986 é publicado o seu primeiro livro de poemas, *O Caderno Erótico de Sylvio Back*; em 88 lança *Moedas de Luz*; em 1994, retomando a vertente erótico-satírica, sai *A Vinha do Desejo*; em 95, *Yndio do Brasil* (Poemas de Filme); e em 99 tem editado *boudoir*, novos poemas eróticos.
Com 58 láureas nacionais e internacionais, Sylvio Back é um dos mais premiados cineastas do Brasil.

***Sylvio Back**, 62, is a Brazilian filmmaker, poet and writer. Former film critic and journalist, self-taught, he began motion picture direction in 1962. To date he has directed and also produced most of his 35 films, which include short and medium-lengh documentaries, nine full-length pictures.*
Documentaries: The 1930 Revolution *(Revolução de 30) – 1980;* Guarani Republic *(República Guarani) – 1982;* The War of Brazil *(Guerra do Brasil) – 1987;* Radio Brazil *(Rádio Auriverde) – 1991;* Our Indians *(Yndio do Brasil) – 1995. Fiction:* The Highest Bid *(Lance Maior) – 1968;* The War of the Skin Heads *(A Guerra dos Pelados) – 1971;* Hallelujah, Gretchen *(Aleluia, Gretchen) – 1976;* The Banished Poet *(Cruz e Sousa – O Poeta do Desterro) – 1999.*
As poet and writer, he has published 17 books (poetry, essays and several of his screenplays). 1986 marks the publication of his first book of poems, The Erotic Notebook of Sylvio Back *(O Caderno Erótico de Sylvio Back), follwowed in 88 by* Coins of Light *(Moedas de Luz); in 1994, back to an erotic and satirical style, release of* Desire's Vineyard *(A Vinha do Desejo); in 95,* Our Indians – Film's Poems *(Yndio do Brasil – Poemas de Filme); and in 99,* boudoir *(boudoir), new erotic poems.*
With 58 national and international prizes, Back is one of Brazil's most renowned filmmakers. –

CRUZ E SOUSA

THE BANISHED POET

Screenplay by Sylvio Back

In collaboration with Rodrigo de Haro

Translated by Steven F. White

Prologue

Interior. Day/Night. Freight train.

Cattle car, partially open. Moving train. The landscape passes rapidly behind the silhouette of CRUZ E SOUSA (a proud, self-confident, thirty-six-year-old black man) in threadbare coat and worn-out shoes who lies still in the straw and sawdust with his head on the lap of his pregnant wife GAVITA (an attractive, thirty-year-old black woman), who is completely distraught and in tears. Cruz e Sousa, blood shining on his lips, stares blankly into darkness. Gavita, in a mechanical gesture, repeatedly attempts to straighten his coat and a tie that doesn't exist. She runs her fingers through his hair, nervously moves his arms and arranges his hands.The corpse is that of a mistreated, exhausted man. The scene is pathetic in its solitude and unusual setting, occasionally permeated by smoke from the steam locomotive. One has the distinct impression that Cruz e Sousa is not really dead. A frozen light, as if it were from the moon, begins to bathe the poet and his wife, and then dominates the horizon. The following characters who will appear during the course of the film attend the makeshift wake with horses behind them: three young, white actresses, JULIETA DOS SANTOS (twelve years old), GEMMA CUNEBERTI (ten years old), the violinist GIULETTA DIONESI (age twelve), who is playing her instrument, the virgin-fiancée PEDRA ANTIÓQUIA (a slender, seventeen-year-old black woman), the old parents GUILHERME and CAROLINA (ex-slaves, both over seventy years old), the friends and writers (all of whom are white) NESTOR VÍTOR, ARAÚJO FIGUEIREDO, OSCAR ROSAS and MAURÍCIO JUBIM, who is drawing the face of the deceased poet Cruz e Sousa, VIRGÍLIO VÁRZEA and TIBÚRCIO DE FREITAS (all approximately thirty to thirty-five years old). Superimposing itself on the scene is a selection from the poem "Antiphon", the majority of which is *Off Screen* (O.S.: the actor appears in the scene but is not framed by the camera). The "dead" man manages to utter some of the stanzas, which are then repeated by one character, then another, until everyone present is reciting as a chorus.

CRUZ E SOUSA

Like moonlight, a foggy night, a snow storm!
O, liquid, crystal Shapes that have no form...
O, white Shapes, Shapes both clear and colorless
Glowing altar vessels, rising incense...

CHORUS (O.S.)

Shapes of Love, pure as constellations,
Like Virgins and Saints transformed into mist...
Lilies and roses and their tribulations,
That freshness covered with dew, lights that drift.

CRUZ E SOUSA

Primordial forces, an essence, the grace
Of a woman's body, a refined sense...
That great effluvium passing in waves
Like Ether's gold and rose-colored currents...

NESTOR VÍTOR

Black flowers of ennui, the formless blooms

ARAÚJO FIGUEIREDO

Of all love, tantalizing and hollow,

OSCAR ROSAS

Red bandages covering the old wounds,

VIRGÍLIO VÁRZEA

Opening into the blood-river's flow...

Chorus (O.S.)

All things living pulse with heat and fervor
In the chimeric whirlpools of the Dream.
Sing as they pass Death's awesome face, and stream
Deep into its cabalistic uproar...

CREDITS

Artwork by Fernando Pimenta based on a design by Cruz e Sousa drawn by Maurício Jubim (circa 1890s).

Sequence II

Interior. Night. Candomblé place of worship.

The actor who plays Cruz e Sousa emerges in front of a dressing room mirror, preparing himself for a scene. He rehearses the lines of the poem he is about to recite, repeating them several times. A candomblé place of worship is reflected in the mirror. Surrounded by men and women in ritual dress who are followers of candomblé, Cruz e Sousa, dressed in white pants and shirt, his body splattered with blood, is subjected to a spiritual initiation. Sacred drums, incense, candles, flowers: the small place of worship has a dirt floor and a general physical appearance of real poverty. Sitting in front of the candomblé priest, Cruz e Sousa watches him cast the cowry shells. Although no one else is present, there is a communitarian spirit. Cruz e Sousa appears to be entering a trance. The idea is that of an actor in search of a character. Stanzas of the poem "Marked for Greatness" can be heard, followed by the words of the candomblé priest.

CRUZ E SOUSA

You're the madman of immortal madness,
The madman for whom madness reigns supreme.
In your black shackles of this World, you scream,
Enchained in the most outrageous Sadness.

You're the Poet, marked for Greatness by fate.
There's empty space for you to populate
With plural beauty you make eternal.

In Nature's fullness that will never die,
All the bold forces of life justify
The crazed seizures that make you immortal.

Candomblé Priest

"João, my son, Ifá, the god of divination, tells me that no suffering in this life is for naught. No tear is lost. Human life, João, is barely a preparation for the true life. There is no tear that God does not perceive, João. Who has never cried a secret tear? God awaits each one for eternity. And so, João, you will reap the richness and greatness of your poems made from pain and sorrow. Let the African gods, João, give you the strength to face the hardships you meet on the road of your life. Let the benevolent forces bless you, my son. And let Olorum bring you peace and tranquility on your journeys. Axé."

Superimposed on the images of the actor in a trance, the following brief biographical sketch of the character appears.

Text

The son of two freed slaves, João da Cruz e Sousa was born in 1861 in the city of Nossa Senhora do Desterro (Our Banished Lady), now Florianópolis, in Santa Catarina, Brazil.

Raised by the family of the man who owned his parents, Cruz e Sousa received a European's education and cultural upbringing.

Early in his life, he had to confront the prejudice of the island of Santa Catarina, which kept his brilliant talents as a writer and poet from being recognized.

As a prompter in Julieta dos Santos's theater company and as a participant in abolitionist campaigns, he traveled throughout Brazil.

At the age of twenty nine, breaking his long engagement with Pedra Antióquia, he moved to Rio de Janeiro.

In 1893, he published *Missal* (Missal) and *Broquéis* (Shields), a collection of poetry that is considered the cornerstone of Brazilian Symbolism.

Instead of receiving recognition, however, he experienced racial and social segregation as well as the envy of the literary establishment of his times.

He married Gavita Rosa Gonçalves, the mother of his four children. Her months of madness deeply marked the poet's life and art.

Poverty-stricken and suffering from tuberculosis, he desperately sought a cure for his health problems in Sítio, in Minas Gerais, where he died on March 19, 1898 at the age of thirty six.

Saying goodbye, Cruz e Sousa gave his friend, the poet Nestor Vítor, the manuscripts for *Evocações* (Evocations), *Faróis* (Beacons) and *Últimos Sonetos* (Last Sonnets), all of which were published posthumously.

Cruz e Sousa's body was sent to Rio de Janeiro in an open cattle car on a freight train.

Sequence III

Interior. Night. Theatre.

We see Cruz e Sousa inside the prompter's box in a theatre. Although the audience is not visible, the people can be heard faintly. On stage, there is a girl "artistically" dressed in rags, with broken chains on her wrists and ankles. She is holding a stuffed black bird and recites Guerra Junqueiro's poem "The Blackbird". It is JULIETA DOS SANTOS, a precocious actress, who has been troubling the young Cruz e Sousa for months. As she speaks, the poet moves his lips as if he were reciting the poem for himself.

JULIETA DOS SANTOS

"So much sorrow, such love, such tenderness
How many nights are gone for good?
Far too many to remember.
And everything is so pointless!
....

Children of my life's blood
And my heart's happiness!
The great, wide world is not so vast,
Nor is the whole sky, if you became birds.
They would hunt you and capture you at last,
– Those cowards!
....

That blinding light! The struggle! Then we're
[caught!
We're beasts for their prods, and for their God, a
[burnt offering!
To imprison the wing
Is to imprison human thought.

....

There is no light, no air for me to breathe!
O, give me vulture-wings and wildcat-teeth
Or any way to free this prisoner.
The night so beautiful with its starlight,
No cry of pain, not a single whisper.
Such a night of sadness! O, silent night!"

While Julieta provides her help in the dialogues, Cruz e Sousa seems to undress her with his eyes. The camera studies her body and gestures in minute detail, focusing on her lips, heels, each fold of the clothing that partially covers Julieta's waist as she innocently flirts with her admirer. Cruz e Sousa cannot mask his fascination and recites stanzas from untitled sonnets dedicated to her and also from "Julieta dos Santos".

CRUZ E SOUSA

Like mist, she is gentle and delicate.
Unique in her making, the actress shows
Her beauty as white as wind-driven snows:
Frail divinity, spirited and great...

....

The curve of your breasts, genius of your face,
With all its allure,
Faultlessly-shaped sculpture.

....

When you appear, everything laughs and cries,
Moves like gods in their mystery,
Pulses with sheer energy.

....

Julieta dos Santos picks up a Bible that she throws into the audience after she recites the following poem:

JULIETA DOS SANTOS

"My children, life is only worth living
When one can be free. Freedom is the rule.
Wings can be held, but the soul goes soaring.
Come, let's fly into the sky's blue jewel.

....

There is more faith and even greater truth
And far more God for sure
In the rocks and thistles covered with dew
Than in this ancient Bible. O, Nature
The only real Bible is you!"

When she finishes, Cruz e Sousa appears before her and makes an unmistakable declaration of his passion, which makes her even more flirtatious than before.

CRUZ E SOUSA

When you appear, I'm drained of feeling, weak
And speechless, trembling, frozen in my tracks!
I'm alert, bursting with questions to ask
Yet I cannot open my mouth to speak!

The whole natural world loses its voice,
    From the fireflies
    In the countryside
To the giant weathervanes in the sky!
Everything is so silent, even I,
    JULIETA, out of my mind,
    Stumbling as if I were blind,
Fall at your feet, your captive by choice!!!

Sequence IV

Exterior. Night. Beach.

Julieta dos Santos, lifted high on a platform as if she were an image from a religious procession, is carried along the seashore by a small cortege of admirers (including Virgílio Várzea, Araújo Figueiredo and Oscar Rosas), some of whom are carrying torches. The cortege, like something from a fairy tale, moves along one of the beaches of the island of Nossa Senhora do Desterro (Our Banished Lady) as if dancing a ballet. Walking alongside Julieta, Cruz e Sousa recites to her the lines from the poem "Aspiration", which she rewards with beguiling smiles:

CRUZ E SOUSA

You're the star, and I'm the sorry insect!
You live in the Blue Realms above the sphere
In the absolute center of spring cheer
Where love is the forever to expect.

And being vain does not help me, I'm sure,
To rise toward Olympic flights of fancy,
Where your ideal shines and rules over me
In a splendor that no one can endure.

While you are sparkling far beyond the breeze,
I will wander in the tangled cities
On earth on hard cement until I die.

Your light dazzles and attracts me, it's true.
I've felt the fire, but I can't fly to you.
I'm so awfully small and the sky's so high.

Sequence V

Exterior. Dusk/Night. Beach.

Surrounded by a corridor made up of a dozen small but intricate sand castles, Cruz e Sousa (in coat, tie, vest, shoes) is standing motionless on the shore of a deserted beach. Strangely, he has his eyes closed as if he were blind. At the edge of castles, observing the scene from above with a seductive gaze, is a SEMI-NAKED WOMAN (white, red hair, twenty to twenty-five years old), who seems to be the object of Cruz e Sousa's search. With a forlorn air, he tries to move, crab-like, through the strange architecture rising before him. As he moves, his arms, hands, legs and feet destroy the fragile structures of sand. Stanzas from the poems "Regina Coeli", "Poppy" and "Dawn" can be heard.

CRUZ E SOUSA

O, star adorning altars. White Virgin,
O, perfect Rose from the polar Garden!

White like the sacred host in the monstrance
And the camellias' cold extravagance.

Like the white silk of full consciousness, too,
Haloes and lightning and a linen moon.

....

Your blond hair is more lovely
Than if you were a brunette:
The breathing roses of your body
With its palm tree's silhouette.

....

In your white fan, I imagine
An unfolding heron's wing
And a perfume hard to define
That might be your soul, scattering.

....

White and clear like glaciers below the sun,
She is the essence of the colorless...
She seems to walk in alcoves under glass
As if she were a Medieval Virgin nun.

Cut to Cruz e Sousa lying exhausted and naked on the beach. The white woman with red hair from the previous scene slowly bends over him. She begins to caress him while reciting the poem "African", which he rehearses as a duet *Off Screen*.

CRUZ E SOUSA/SEMI-NAKED WOMAN

You rise again from occult African
Sensuousness, tempted by unripe fruit
That attractive sylphs and gnomes attribute
To the stunning royal hues of passion.

In the explosive flesh and vehemence
Of pagan desire, erupting through signs
Of Virginity, there are pantomimes
To mock the flesh given to negligence.

Given early on to reckless schemes,
To morbid blackouts as if lost in dreams,
Extracting all the venom from pleasure.

You're my dream-goddess in the lust-pageant,
Fearlessly trumpeting your love's accent,
Sterile as the eunuchs' severed treasure.

The poet's fiancé, Pedra Antióquia (Danielle Ornelas).

Sequence VI

Interior/Exterior. Day. House.

Pedra Antióquia, a beautiful, sensual young black woman, Cruz e Sousa's fiancée, leans from a window (in the background there are only shadows moving in the house), holding hands with the poet, who is in the street. In answer to her smiles, Cruz e Sousa recites his poem "Flower of the Sea" to her in a whisper:

CRUZ E SOUSA

You are from the source, from the secret sea,
From unfamiliar surf, where the line seems
To catch the vessel in a net of dreams
And leaves it rocking on water, empty.

From the sea comes your sparkling sympathy,
Your agitated sleep and your features:
That look of menacing, feral creatures
In eyes like waves that are dark and stormy.

From an unfathomed violet ideal
You surge from the viscous water and wheel
Like a moon in heavy fog bursting free.

Your flesh contains a flowering of vines,
Virgin saltwater-songs, the day's first signs,
And the sharp smells of a sargasso sea.

When Cruz e Sousa tries to embrace her, Pedra Antióquia begins to sing the Yoruban "Canticle of the Lovers" in his ear.

PEDRA ANTIÓQUIA

If you want to be my lover
First consult your head

If you want to get married
First consult your head

If you want money
First consult your head

If you want to build a house
First consult your head

If you want to be happy
First consult your head

O, head! Make good things come to me!
With you, I am your well-being, humble in my entreaties,
Making myself feel good about my luck
My luck is my beloved husband!...

Sequence VII

Exterior/Interior. Night. Garden/House.

In the vicinity of a mansion, attracted by the sound of some music, Cruz e Sousa approaches a window and glimpses a girl playing piano in the presence of her mother, who stands beside her and is just as white and beautiful as the girl. The pianist is GEMMA CUNIBERTI, another of the poet's secret adolescent crushes. The camera seems to interpret his desire, and the girl is seen from this perspective. Because he fears being discovered, he does not dare go closer. Entranced, Cruz e Sousa closes his eyes. His poem "Magnolia of the Tropics" can be heard in *Voice Off* (V.O.: the voice of the character as an interior monologue).

CRUZ E SOUSA (V. O.)

The virgin curves of your pagan neckline,
Where love's viaticums and diamond prayer
Ascend eternally into the air
as a flawless altar to the divine.

Why don't you open your silk arms for me
In a clear grove of trees like poetry?
We'll talk in shade below and sun above.

To the rhythm of this mouth, bring a kiss's wings.
Know the stirred fever of this bird that sings.
Give me a kiss, the extreme unction of your love.

Sequence VIII

Exterior. Day. Toying with the Bull.

Selections of archival films and photographs from different years, showing the "Farra do Boi" in Santa Catarina. Images of the bull being chased and mistreated serve as a multiple metaphor that describes the poet's life, blacks who were enslaved and later freed, as well as those who suffered due to their commitment to the abolitionist struggle. Cruz e Sousa can be heard in *Voice Off* reciting stanzas from his poem "Slave Lords". In the soundtrack there are the sounds of whips, screams of pain, and the crying of women and children.

CRUZ E SOUSA (V.O.)

Slave Lords!
O, deserters of the common good, you're like crocodiles,
Cunning bellies to the ground, showing off your royal fleece,
Basking in the radiant "light" of your privileged lifestyles
With all the bestial "grace" of a turtle resting in peace.

Slave Lords!
I can only laugh at you and drive the burning arrows
Of my gaze deep into your flesh and then make them a whip,
A thousand sunlight-lashes, the wrath of the poet's blows,
With plenty of thorns for your skin so I can hear it rip.

This and more, until the huge, extraordinary Enough!
Like a future tabernacle of light comes from the stuff
Of white awareness to my eardrums and begins to glow.

Slave Lords!

In this indelicate, Adamastor-like*, arrogant
Verse of red Gongorine thunder, there's one more thing I want:
To castrate you like bulls and then listen to you bellow!
To castrate you like bulls and then listen to you bellow!
To castrate you like bulls and then listen to you bellow!

---

* Adamastor: a giant in Luis de Camões' *Os Lusíadas*, who guarded Cape Good Hope and tried to stop Vasco de Gama from sailing past.

Sequence IX

Interior. Day/Night. Infinite background.

The scene is taken in a closeup of Cruz e Sousa and his friend Virgílio Várzea, in whose eyes one can see the reflection of what appears to be a will-o'-the-wisp. Both characters dramatize the text of a letter. Virgílio Várzea seems to know what Cruz e Sousa is going to say before the poet speaks.

CRUZ E SOUSA

"My Dearest Virgílio, I am awash in a tide of nausea and mental exhaustion...

VIRGÍLIO VÁRZEA

I'm tired of everything: tired of endlessly waiting for the good things in life that never come. I seem to be fatally condemned to misery and a sordid existence...

CRUZ E SOUSA

There is nowhere to go from here. All the doors and shortcuts on the road of life are closed to me, a poor Aryan artist, that's right, Aryan, because I acquired the high qualities of that great race by systematic adoption...

VIRGÍLIO VÁRZEA

I am the one who dreams of the tower of moonlight, grace and illusion. I saw it all, derisively, diabolically, in the grotesque discourse of a comic opera..

> Who sent me down to earth to drag the metal chains of life? Should I try to be a singular element amidst the human spirit? Why bother? A sad black man, hated by the cultured castes, beaten down by society, always beaten down, banished from every bed, spit on from every home as if I were some sinister leper. It's impossible! How can I be an artist and be of this color?"

Once this text is finished, the camera reveals that what appeared to be will-o'-the wisps is actually reels of burning film.

Sequence X

Interior. Day. Newspaper office/Academy.

In a newspaper office that has large panoramic views of Rio de Janeiro (circa 1890) in the background, letters manually take the shape of words and the type of the live image becomes newspaper headlines of the epoch. One of them reads: "FOUNDERS OF THE BRAZILIAN ACADEMY OF LETTERS VETO CRUZ E SOUZA." The following text accompanies the headline: "Even unpublished authors have been admitted to the recently-created Academy of Letters". Under the brutal and sarcastic eyes of Cruz e Sousa, his faithful friends Nestor Vítor, Oscar Rosas, Araújo Figueiredo and Virgílio Várzea present an ironic poem called a *triolé* (which was very popular at that time). With their arms around each others' shoulders or alone, they speak directly into the camera either individually or together as a chorus. The following image interrupts the sketch: a bust of the renowned nineteenth-century Brazilian writer Machado de Assis with a veritable blizzard of rice flour falling over his head.

VIRGÍLIO VÁRZEA

Machado de Assis, you beast.
Machado de Assás, you ass.

ARAÚJO FIGUEIREDO

A zebra writes better than you,
With plume in hoof and not a clue.

NESTOR VÍTOR

"Borba"[*] is just a bunch of lies,
"Gil Blás"[**] something you plagiarized.

---

[*] *Quincas Borba* is the title of one of Machado de Assis' novels, published in 1891; [**] Alain René Le Sage (1668-1747); French writer, author of the picaresque novel *Gil Blás*.

Virgílio Várzea

You rob Le Sage and try to please
Though it's only banalities.

Oscar Rosas

Lights on, no one home! You're no prof!
You're like a gargoyle spouting off.

Nestor Vítor

Machado de Assis, you beast,
Machado de Assás, you ass.[1]

Sequence XI

Interior. Day. Living Room.

In a living room, Nestor Vítor, Virgílio Várzea, Oscar Rosas, Araújo Figueiredo, Tibúrcio de Freitas and Maurício Jubim read alternating stanzas of a poem attacking Cruz e Sousa that was published in a newspaper. As they hear the poetry, they feel offended on behalf of their friend, who initially seems absent, but soon appears when the camera suddenly finds him hunched and humiliated in a corner of the room.

NESTOR VÍTOR

Dear friends, listen to this sonnet with the name of our friend Cruz inverted published in today's "Gazeta de Notícias," mocking his vocabulary... What's the point of so much envy and humiliation?

Cruz e Sousa's friends, Araújo Figueiredo, Tibúrcio de Freitas (Ricardo Bussy), Nestor Vítor, Oscar Rosas and Virgílio Várzea.

After sensing the reaction of those who are present, Nestor Vítor begins to read the poem, emphasizing its title: "On the Coast of Africa":

NESTOR VÍTOR

"Flaxen, genteel, festal, scintillating,
In Epopoieas of the drum's tattoo,
Morning rises from mystic mists anew
In the East with iridescent plating.

VIRGÍLIO VÁRZEA

One hears the sun, that beloved God, guffaw:
Crystalline coruscating refulgence
In communion with ruby indulgence
In coarse, barbarous, distant Africa.

OSCAR ROSAS

And now here they come so tortuously,
Doing their macabre choreography,
A mob of niggers in loincloths, prancing...

ARAÚJO FIGUEIREDO

A convulsive party of pure delight,
Fandangos, Bonzos, it was all quite a sight,
Missals, Shields, Popcorn and Monkeys, dancing..."

Sequence XII

Interior. Night. Postcard.

Cut to Cruz e Sousa in front of a giant postcard with a picture of a laughing African man. He presents his poem "Sacred Hatred":

Cruz e Sousa

O, my hatred, my majestic hatred
That is holy, pure and beneficent.
Annoint me with your kiss of endearment.
Make me humble and proud and contented.

Humble and generous to those with less.
Proud with the others who have no Desire,
No kindness, no Faith, no inspiring fire
From the fertile sun and its tenderness.

O, my hatred, blessed banner of me,
My soul flying over infinity
With the other sacred banners and hymns.

Hatred that is healthy, good, be my shield
Against Love's villains and the harm they wield
From seven towers of the mortal Sins!

Sequence XIII

Interior. Day. Chapel.

In a solemn pose, looking away from the camera and reproducing the classic photograph of Cruz e Sousa, the actor who plays the poet emerges elegantly-dressed. He wears a crown of laurel on his head. At the base of this portrait there are candles burning in a simulation of a small altar where one can see the posthumously-published books *Evocações* (Evocations), *Faróis* (Beacons) e *Últimos Sonetos* (Last Sonnets), stacked with bunches of wild flowers. The wax, as it melts and drips, flows over various naked black and white backs moving in a ballet, and forms lines from the poems as well as Cruz e Sousa's signature. Superimposed on these female forms are stanzas from the poem "Incarnation", which is recited by Cruz e Sousa, who eventually fills the entire screen.

CRUZ E SOUSA

Carnal, let all these desires be carnal.
Let all these longings be the fleshly kind:
Wild pulse, shudders, and bodies intertwined,
Arpeggios on the harps of arousal.

Let the dreams lost in mist be carnal, too:
Strange passage of stars, nebulous and new,
Cold visions of love in hibernation.

These dreams, heartbeats, desires and agony
Will assume fragrant shapes with clarity:
Lovers in their livid incarnation.

Sequence XIV

Exterior. Dusk. Rio de Janeiro.

Cruz e Sousa and GAVITA are leaving a church on the outskirts of Rio de Janeiro with the explicit air of two lovers. They converse with low voices. Cruz e Sousa speaks (texts taken from the poet's letters), meditating under Gavita's gaze, which alternates between one that shows her admiration and her sense of feeling lost. At other moments, both characters look at each other in silence, deeply in love.

CRUZ E SOUSA

When I'm at your side, Gavita, I forget everything: all the ingratitude, the evil acts, and all I feel is your eyes making me die of pleasure (...)

GAVITA

All day and night my thoughts fly to wherever you are. I see you always, always, and I never forget you wherever I am. You are my constant concern, my strongest desire, the happiness closest to my heart.

CRUZ E SOUSA

You know how dear you are to me, how much I love you from the depths of my blood, you, among all the women of the world. I am always happy, content, full of pride, when I can say to you that I am and will always be yours, that I will love you unto death, with an abundance of the most extreme tenderness and kindness, giving you the distinction that is yours and yours alone, Gavita, my idol, adorable creature of my dreams, my care and all my thoughts.

Sequence XV

Interior. Day. Room.

Cut to Gavita, lying half-naked on a white, nuptial bed with rich floral arrangements. A discreet bloodstain made of wax also colors the scene. Enchanted, she manages to say the words from a letter that Cruz e Sousa wrote to her.

GAVITA

> I love you, I love you so much, with all my blood and with all my pride, and my powerful desire is to be joined with you, to live in your arms, protected by your pure kindness, by your grace that I adore, by your eyes that I kiss.

Sequence XVI

Interior. Night. Room.

Cut to the previous scene of the nuptial bed, now barely illuminated with long candles, which lend the portrait a visible aura of Romanticism. Gavita, who is holding Cruz e Sousa in her arms, whispers the poem "Great Love". In the last two stanzas, Cruz e Sousa speaks in a kind of chorus with her.

GAVITA

The greatest love is a great mystery:
Sky that kisses us, sky that holds us tight
In an abyss of deep and crucial light
Where our souls tremble in infinity.

Constant orgasm of unearthly desire,
Comfort that comes from the comfort of grace.
A secret flame crosses the soul's surface
And marks it with a sidereal fire.

GAVITA/CRUZ E SOUSA

Canticle of angels in the dim light
By waters that walk in their sleep at night,
Song released among stars into the known(...)

Souls sealed together in their pure journey,
Wandering souls with the same destiny,
In a kiss made fertile inside a moan.

Sequence XVII

Interior. Dawn. In the same room.

Cruz e Sousa awakens Gavita by speaking softly in her ear. As soon as his words begin to flow with a certain rhythm, Gavita opens her eyes, smiles and tenderly embraces him.

Cruz e Sousa

Only you are the Queen of my love. Only
you deserve my kisses and my embrace (...).
Only you deserve that I love you so much,
the way I do, so very, very much, and
always more, with greater force, always
faithful, always your good and grateful
slave, making you my star, my holy wife, the
beloved companion of my days...

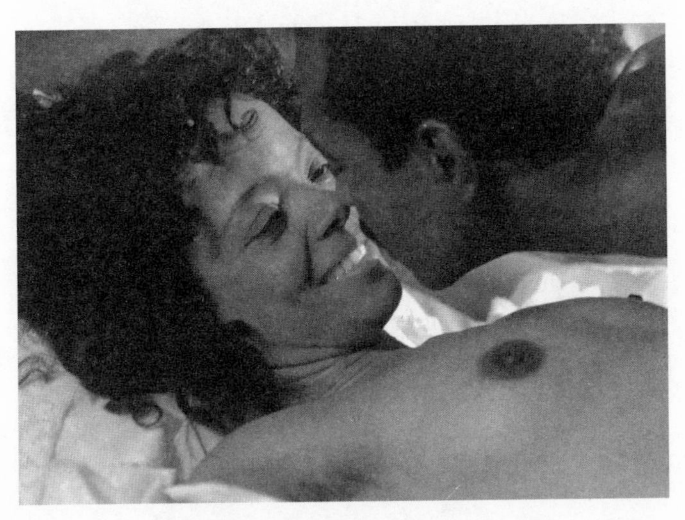

"Only you are the Queen of my love."

Sequence XVIII

Exterior. Day. Scenic Cemetery.

Sitting on a grave decorated with arabesques and figures clearly inspired by Symbolism, and with a painted background that situates the scene in the vicinity of a church, Cruz e Sousa meditates. Visibly depressed, in an exclamatory tone, he gives a dramatic reading of the poem "Obscure Life".

CRUZ E SOUSA

No one experienced the dark spasm
And humbleness that are your life's measure.
Stunned and muddled after so much pleasure,
Your world was nothing but a harsh, black chasm.

In utter silence, you crossed your obscure
Life entrapped by tragic obligation
And at last attained illumination
By becoming more simple and more pure.

No one could sense how uneasy you were
Or understand the clandestine terror
That stabbed at your wordly heart and your pride.

But I've always been behind you somewhere.
I know the infernal cross that you bear.
I was there to hear how deeply you sighed.

Sequence XIX

Exterior. Day. Living Room.

The corpse, dressed in white, of the old father Guilherme is stretched out on a rustic bed covered with a white sheet. At the head of the bed is his wife, Carolina, who is already dead, wrapped like a mummy. The surroundings are empty. The only light comes from some lit candles. Cruz e Sousa and Carolina murmur fragments from the prose poem "Opening Coffins (Carolina and Guilherme)".

CRUZ E SOUSA

....
Yes! Creature of the Angels, whom, in the meantime, Hell possessed and finally ended up strangling! Bleeding heart! Being of my being! The other beings (...) will never know, in their melancholy way, never, what bloodthirsty bitter host they gave you in Life's communion,...

Taking on the voice of Cruz e Sousa, with tears running down her cheeks, Carolina continues reciting the prose poem.

CAROLINA

...what dark Easter bread of tears they gave you to devour, what chalice of lethal, visionary wine, sucked from the bile of festering wounds and gangrene they gave you as a gratuity, from the mouth full of vermin, from the first kiss of love, when you were hungry and your thirst was great...

CRUZ E SOUSA

...the voracious, blind, desperate thirst for Non-Being, when you aspired to the celestial forms, when, in spite of your self as innocuous

as dust but, perhaps, dust of some divine
diluted star, you felt the insatiable desire to
embrace the Infinite.

CAROLINA

...when you aspired to the celestial forms,
when, in spite of your self as innocuous as dust
but, perhaps, dust of some divine diluted star,
you felt the insatiable desire to embrace the
Infinite.

Now the camera begins to "fly" over the bed and the woman, slowly, with the figure of Cruz e Sousa in the background as if the poet could come no closer.

CRUZ E SOUSA

....
Wandering far away, absent from the roof and
the place where you exhaled your final moan,
I could not see you in your beautiful disdain,
peaceful in the face of death and the vanities
of life. I was not there to close your eyes, with
great remorse, with the loving courtesy of my
trembling hands, and did not even pass the
burning liquid of my eyes over yours in a
painful goodbye. Gently, with you next to my
eyes and dying heart, in the outpouring of my
pain, I could not pronounce the unctuous and
extreme words of separation, the ineffable and
moaning things at that lacerating moment
when our arms abandon the beloved arms that
already are defeated, and have surrendered to
the renunciation of everything – arms that
embraced so lovingly so many times, but will

never embrace again. Nothing matters to Life and nothing matters to Death!

In the same scene, sunk in darkness, Cruz e Sousa keeps his vigil with sheafs of tears still shining in his eyes. Though at first he is silent, he suddenly looks at the camera and speaks:

CRUZ E SOUSA

That mourning, that night, that darkness is what I desire. Delicious darkness that will nullify me among the degeneration of human sentiment. Darkness that will disperse me in chaos, come to me like ether, dissolve me in the void, like a nocturnal and mystical sound in the rain forest, like the flight of a wandering bird. Darkness with no end as my starless mantle for me to drag, indifferent and dark, through the world outside, distant from humanity and things, mixed with the supreme movement of nature, like the ruin's forgotten arm that crosses the deep, dark jungles in its somber and mysterious route toward death in the sea.

Sequence XX

Interior/Exterior. Day/Night. Studio.

Linking of "portraits" by means of a series of transvestites, preferably blacks and mulattoes, interspersed with photographs of urban violence directed against them. In *Voice Off*, Cruz e Sousa recites the poem "Litany of the Poor". No scene should coincide with words and images that appear in the poem.

CRUZ E SOUSA (V.O.)

Those crushed by misery's kingdom
Grow from the sewers and blossom.

They're the ghosts that won't go away,
Broken souls that are here to stay.

They're the black tears dripping in caves
As somber and silent as graves.

They're the great, true visionaries
Of chasms, riots, prophecies.

They're the shadows of dead shadows,
Blind, tapping at doors and windows.

They're searching for the sky in dreams.
They're beating the sky with their screams.

They're the dark beacons in the night
Of desperate winds that drink light.

The tears of the poor intersect
With the sins that are imperfect.

Images of the most deadly,
Imponderable mystery.

They're broken flags that have no name
At barricades of hunger, shame.

The poor's band is multiplying!
Your numbers are terrifying!

Your souls from a tenebrous hell
Carry with them the rose's smell.

You struggle for your final breath
As beautiful dreamers against death.

Sequence XXI

Exterior. Night. Beach.

As if he were a dog howling at the moon, Cruz e Sousa is silhouetted, facing an intensely clear fake moon as a means of establishing the contrast between his blackness and its whiteness. He recites fragments from the prose poem "Loathing and Pain".

CRUZ E SOUSA

Pain and loathing of that salty mire of race in the mire of other races. Pain and loathing of that night-race, nocturnally enshrouded, where I came from through the mystery of the cell...

....

Pain and loathing of that rotten and lethal swamp of race that gave me this exuberant nasal means to anxiously inhale all the deep and secret smells...

....

... these ample hands that toiled so long and hard; this vocal medium through which hidden nostalgias and aspirations that were already dead moaned and trembled like sleepwalkers in the mist...

....

this heart and this brain, two twisting and insatiable serpents that bite me, devour me with their temptations of Tantalus. Pain and loathing...

The poet and his literary executor Nestor Vítor.

Sequence XXII

Interior. Day. Living Room.

Nestor Vítor, standing in the middle of the room and not wearing a coat, is opening a letter that he has just received. He begins to read it in a low voice while he looks for an armchair so that he can sit down.

NESTOR VÍTOR

> "My dear friend, I beg you to come as urgently as possible to my house. My wife is having a nervous breakdown. Her brain is weak, and, despite my energetic efforts to the contrary and my frankness in a case like this, she believes in evil actions and persecutions of all kinds. As soon as you arrive, I will tell you more. Your presence will help me clarify the decision I need to make. I write to you painfully afflicted by this situation. Yours, Cruz e Sousa."

Sequence XXIII

Interior. Day. Long corridor.

The face of Cruz e Sousa is in the foreground: behind him, his agitated wife Gavita slides her body and face in anguish along the walls of a twisting and dramatically-lit corridor. Two children, between three and five years of age, are also part of the scene, as they stand next to a crib with a sleeping baby. Confused and perhaps even crying, they witness everything. With tears in his eyes and looking at the camera, Cruz e Sousa recites lines from the poem "Inexorable".

CRUZ E SOUSA

O, my love, how could you be dead?
O, my love, how did it happen?
Down in the grave you descended.
O, my love, how could you be dead?
Will you ever flower again?

Your bones die their squalid farewell,
But how was it they came to learn
The flower's grace, their secret spell?
Your bones die their squalid farewell.
Will their splendor ever return?

Gavita moves from side to side as if she were an imaginary dancer. Her hair is unkempt and her arms are tied in a torn duster. She utters strange sounds somewhere between crying and a barely audible song. Full of compassion, Cruz e Sousa feels impotent in terms of helping her. Leaning over, with his face close to hers, until they both fill the screen, Cruz e Sousa begins to murmur the poem "Resurrection".

CRUZ E SOUSA

Soul! There is no reason to cry or moan.
Your love is back from that bad dream.

She returned from where madness makes its home
In the mansion of the Extreme.

....

I can no longer feel the macabre smile
Of your skull and its great disdain.
With open heart and eyes, I reconcile
Myself to Nature's wide domain.

All my frozen and dark sepulchral fears
Died in a distant windy place.
Saved from drowning, my head appears
In rivers of youth with a youthful face!

....

Nevertheless, you came back from the dead
And managed to bring me with you.
My Love, gone, is alive and pure instead,
Singing the infinite and new!

Judging from Gavita's reactions, it appears that she has been able to emerge from her "madness". With a smile on her lips, Gavita begins to sing the *modinha*, *Desde o dia* ("Ever Since the Day") by Domingos Caldas Barbosa.

GAVITA

"Ever since the day,
The day I was born,
Like some deadly, fateful angel,
A breeze filled with sadness
caressed my face, rocked my cradle.

When I grew older
And couldn't ever

Find the face of being happy,
A breeze filled with sadness
Was all that was given to me."

The face of the poet, that had been so sad, begins to radiate a great inner joy. Slowly, Gavita grows calm, and they both embrace each other in tears.

Sequence XXIV

Interior. Night. Studio.

The poet's friends Nestor Vítor, Araújo Figueiredo, Virgílio Várzea and Oscar Rosas appear, leaning over an imaginary, ill Cruz e Sousa, who then appears, floating among the roots of mangrove trees in a canoe. Lines from the poem "Weeping Guitars" can be heard.

CRUZ E SOUSA (V.O.)

The guitars, warm, half-asleep and plangent,
Are sobbing in moonlight, weeping in wind...
Their mouths open to murmur their lament.
Their sad shapes have yet to be determined.

ARAÚJO FIGUEIREDO

When the guitars sound like they are crying,
When the moaning streams from the guitars' strings,
They rip and cheer the living and the dying.
They tear the dark soul that trembles and sings.

CRUZ E SOUSA (V.O.)

Those velvet voices, voices that are veiled,
Garrulous guitars with velvet voices,
Roaming through the vortex-whirl of exhaled
Wind: living, haughty, volcanic voices.

NESTOR VÍTOR

Such sky, such hell, such a deep inferno,
Such golds, such azures, such terrific
Tears and laughter, such eternal sorrow
In this trembling, indecisive music.

Virgílio Várzea

Such carnal desires of a lovely nun,
Her tempting flesh meshed in prickly fabric,
As she wanders throughout her cell undone
By a sourceless, lacerating panic.

Oscar Rosas

Here come the skulls in their dire procession
And ghosts drifting through dead, silent shadows.
Such high peaks of pain and its oppression,
Cordilleras of torment and harsh blows.

Tibúrcio de Freitas

That great big labyrinthine neurosis
Of virgins' romantic entanglements;
Love's sunset, anemia, the lost kiss
That surreptitiously slashes their breasts.

Sequence XXV

Exterior. Day. Veranda.

Looking at the sea before her, the ex-fiancée Pedra Antióquia sings pieces of the same love song in Yoruba from Sequence VI. With a sorrowful tone, she begins to recite the poem "Dead Illusions".

PEDRA ANTIÓQUIA

All my lovers are putting out to sea,
Out to sea is where they'll be, my lovers
Without the dew or light dawn recovers,
Like flowers that have wilted already.

My lovers never will return again.
They won't flap their wings of many colors
Like gentle birds trapped in all the splendors
Of pleasure, pleasure of what I was then.

They all flew away, brushing the white sphere
Of illusions, soaring free with no fear,
Gone, but leaving me vital and secure

To the core of what I haven't lived yet,
Like a glass that holds a single droplet
Of some rare, aged and distinctive liqueur.

Sequence XXVI

Interior. Night. Cruz e Sousa's room.

Trying to work in the flickering light of a candle, coughing, sweating, gulping down his coffee, Cruz e Sousa, with a deeply troubled, unshaven face attempts to write a letter with great difficulty.

CRUZ E SOUSA

"Dear Nestor Vítor, I don't know if this is really going to be the end of me, but today I passed out for such a long time that I thought I was dead. Even so, I still haven't lost my courage. For the last fifteen days, I've had an insane fever, no doubt due to the intestinal problems I've had. But what's worse, old friend, is that I haven't got a cent to my name to buy medicine, milk, anything! It's horrible! Gavita says that I'm like a ghost drifting through the house!"

Sequence XXVII

Interior. Night. Bedroom.

Cruz e Sousa is lying in bed, coughing a great deal. Gavita is pregnant and eager to take care of him, bringing towels, picking up books and papers from the floor. The children are playing in the room. Collecting herself in a corner, Gavita begins to whisper stanzas from the poem "Anima Mea".

GAVITA

O, my soul, my Refuge that will not die,
My sun and my roaming shadow at night,
Your worlds dazzle with their immortal light
From the ancient Dream, my faithful Ally.

Where does all my ill-defined hope spring from,
And this flood-like wish to know the outcome,
And such incessant sorrow through the years?

Ah! What is the source of that strange essence
And so much mysterious Transcendence
That leaves these eyes of mine brimming with tears?

Sequence XXVIII

Interior. Night. Same room.

Cruz e Sousa is surprised in bed by a strange voice coming from a brightly-illuminated wall. He places his ear against it and realizes that it is his own voice, reciting diverse stanzas from the poem "Her Tuberculosis".

CRUZ E SOUSA (V. O.)

Before mystical preludes from a psalm,
Inch by inch, the illness gradually
Occupies more terrain in her body
And then she drops into dusk and grows calm.

Her skin will not have a vital brightness
That will let her experience pleasure,
Because what was ineffable in her
Crystallized into tuberculosis.

The fatal world knows her plant-like weakness,
Her strange rituals like a nun's, her fears.
O, vibrating harp on the verge of tears!
O, lamenting, tearful eucalyptus!

Sequence XXIX

Exterior. Dusk. Dunes.

In his delirium, Cruz e Sousa sees his ex-fiancée Pedra Antióquia running toward him completely naked among the sand dunes. Standing, and completely naked himself, he watches as Pedra comes closer, dragging something serpent-like, arousing him with her laughter and the erotic look in her eyes. The camera attempts to translate the verbal delirium that explodes in Cruz e Sousa (in the form of stanzas from the poems "Black Rose", "Mouth", "Aspiration", and "Breasts". His words alternate between being presented in sync with the scene or heard *Off Screen* or simultaneously as if there were a chorus composed of the same voice.The camera literally rubs against Pedra Antioquia's body.

CRUZ E SOUSA (O.S.)

Delirium-flower, fire-blood-flower,
Bursting from pores in torrents of power,
Lost in the dominion of skin and moan.

Black rose of darkness, Flower from the void,
Give me that ripped, acid mouth I've enjoyed
Worth more than hearts, forbidden and unknown.

....
Your luxuriant mouth like a lily
Or the freshness of snow in a valley,
Purple mouth of Greek pomp and pageantry
That has a Syrian plum's majesty.

The camera then moves slowly around her breasts, under her arms...

....

"Black rose of darkness, Flower from the void..."

CRUZ E SOUSA (O.S.)

I wish I could be the velvet serpent
So that, coiled like so many balls of twine,
I might strike the breasts and their liquid scent,
Fork-tongue them, then bite them and make them
[mine.

....

O, virgin breasts, living nuptial beds
Where lovers have laid their ecstatic heads
And old fauns dream feverish dreams of love.

moves down to her naval, and then, as she rolls over, stops to focus on her buttocks. Finally, from a low angle that shows her open legs, the camera stops on her thighs, then moves very slowly, approaching the pubic triangle (which is transformed into a windblown thicket). Here, the camera rolls without stopping. Panting, Cruz e Sousa describes the landscape onscreen in lengthy, vivid poetic detail, which creates the sensation of achieving an orgasm.

... And then your velvet vulva at last! Red, on fire, casting sparks like the embers from a forge, dark sanctuary of transfigurations, magical chamber of metamorphoses, original crucible of the genitally impure, deeply-shadowed source of ecstasies, of sad, orgasmic sighs and of Life's delirious Torment...

....

... let your sex sing its supremacy in the air with the army's trumpets sounding the sovereign apotheosis of the Flesh!

Sequence XXX

Interior. Night. Room.

Cruz e Sousa finds himself in bed, awaking from the dream, when he hears the soft notes of a violin. On the far side of the room, the girl-violinist Giuletta Dionesi emerges, elevated on a kind of pedestal. Looking into his eyes, she plays a melody for him. He recognizes it and is overwhelmed by an explosion of memories. He manages to stammer lines from the poems "Giuletta Dionesi" and "To Giuletta Dionesi".

CRUZ E SOUSA

Ah! Giuletta!
Ah! pilgrim from the country made of dream,
Bright flower from the realm of harmony.
From your gentle, exuberant heart stream
The trumpets of dawn triumphantly.
....

For your soul that is delicate and sweet,
I brought delicate roses as a treat.

Divine child, I brought you roses today
So that you would smell like hope as you play.

These roses are my entire soul on fire,
Trapped by violin music I admire:

Roses to praise your greatness beyond words
Because I have neither stars nor wild birds.

When the poem is finished, the image of the girl disappears and the camera again focuses on Cruz e Sousa, who, suddenly recovering the brightness in his eyes, begins to remove his clothes as he recites the poem "Lacerations".

O, flesh I loved in such a bloody way,
Erotic lethal realm of pain that grows,
Essences of heliotrope and rose,
Tropical source of warmth, hurt and decay...

Mild and virgin flesh from the Orient
Of Dream and unreal Celestial Bodies,
Tart and marvelous flesh of our species,
Tempting flesh that left the sun in torment...

You, too, shall pass, whipped by fervent despair
In the absolute depths of the nightmare
That stabs me with the mortal blade of fears...

You, too, shall pass, undone by agony,
By sorrow with its endless litany,
By sighs and grieving, convulsions and tears...

Sequence XXXI

Interior. Night. Room.

Cut to Cruz e Sousa's friends, Nestor Vítor, Virgílio Várzea, Oscar Rosas, Araújo Figueiredo, Maurício Jubim (who is sketching a portrait of Cruz e Sousa) and Tibúrcio de Freitas. Surrounding his bed, they speak his words after he finally stops coughing and spitting up blood. They all act as if they were doing an interview, watching the camera. Pieces of letters written or received by Cruz e Sousa serve as dialogue.

ARAÚJO FIGUEIREDO

"Cut open, with a bleeding heart like a virgin thrust of a knife, I sadly passsed my eyes over your letter. I religiously believe, as always, in what you told me in that white letter and what your soul so affectionately...

NESTOR VÍTOR

...and so clearly depicted. That's exactly what it's like in this country overrun by a pack of fools, it really is...

CRUZ E SOUSA

My time to die has come, but my name will live on.

TIBÚRCIO DE FREITAS

Let my arms as your friend embrace you tightly to my heart at the very moment you receive these words that wish you well. I write them to you, however, my dear brother, with my soul slashed by anguish because I know that before long I will die...

Oscar Rosas

So you can see, dear friend, that the entire world is like this: in Santa Catarina, in Rio de Janeiro, in Paris, in London, in Berlin, in St. Petersburg, in Rome, and New York, it's all the same...merit always runs into infamy, censure and envy. (...)

Cruz e Sousa

My time to die has come, but my name will live on!

Virgílio Várzea

Everyday life here has taken on its dynamic of normalcy. I no longer have any way to live. Perhaps I will set out from here with no destination, to all points of the world, I don't know...My dear Cruz, I have had enough. This place...

Araújo Figueiredo

...is buried in shit, and its people are in even deeper. I do not know how all this will turn out. Goodbye. I lay myself in your arms.

Cut to Cruz e Sousa at the base of the bed, staring at his friends and speaking almost inaudibly:

Cruz e Sousa

You cannot imagine what has been occurring to my very being, as I see the tremendous, formidable difficulties of this life in Rio de Janeiro.(...)All the doors and shortcuts are closed on the road of life... My time to die has come, but my name will live on."

Sequence XXXII

Interior. Day. Well.

Cruz e Sousa finds himself at the bottom of a well. He acts as if he were a prisoner, trying to find a way to escape. Looking at the camera, he takes stock of his life with burning frankness by reciting fragments from the prose poem "Trapped".

CRUZ E SOUSA

...But why is all that so important?! What's the color of my shape, my feeling? What's the color of the slashing tempest that jolts me? The color of my dreams and screams? My desires and fever?

An artist? That's insane. How could it be true if you come from that distant, desolate region of exotic backgrounds, that suggestive, moaning Africa?

No! No! No! You won't be able to transpose the millennary porticos of the vast edification of the World because, behind you and ahead of you, who knows how many generations have been accumulating, accumulating, stone upon stone, stone upon stone, which is why you're now truly trapped within the walls of a race.

If you walk to the right, anxious and afflicted, you'll collide with the horrendously immeasurable wall of Selfishness and Prejudice!

If you walk to the left, there's another wall. And this one, Science and Criticism, is higher than the first and will plunge you into fear.

If you walk straight ahead, there's yet another wall of Contempt and Helplessness, a tremendous one, made of granite, bluntly rising into the sky!

If, finally, you turn to walk behind you, ah!, there's one last wall, closing off everything completely, horribly. The wall of Stupidity and Ignorance will leave you in a cold spasm of absolute terror...And more stones, more stones will be transported to the stones that have accumulated already, more stones, more stones...stones of those hateful, caricature-like civilizations and societies...more stones, more stones! And the strange walls will rise: tall, black, terrifying! They will rise and rise and rise in utter silence until they reach the Stars, leaving you lost and hallucinating, trapped inside the walls within your Dream...

"What's the color of my shape, my feeling?"

Sequence XXXIII

Exterior. Day. Station.

Cruz e Sousa and Gavita (pregnant) prepare themselves to catch the train. With them, to say goodbye, is the faithful friend, Nestor Vítor. Sheltered by his wife, the poet appears in a weakened condition accentuated by the poor state of his clothing. Spilling out all the books he had published up to that time and would publish, posthumously, Cruz e Sousa hands them all to Nestor Vítor, who understands exactly what is happening.

CRUZ E SOUSA

My sweet friend, here is everything I managed to write...It's all yours...I have no strength left at all...

The train begins to leave, and Nestor Vítor, standing on the platform, recites stanzas from the poems "Death" and "Pact of Souls (Forever!)".

NESTOR VÍTOR

Oh! There's such sweet sorrow and tenderness
In anxious eyes of those about to die.
What deep, life-saving anchors can they try –
Those who penetrate a night so starless?

Cruz e Sousa, leaning from the window of the train, seems to be listening to his friend addressing his own premonitory lines to him. And, exchanging a last look, he begins to respond "without words".

CRUZ E SOUSA (V. O.)

Ah! If it's forever now that we're gone,
We won't be apart for even a day...
Our souls will go together on their way

To become music in the sacred dawn.
If it's Heaven's rhythmic voice at sunrise
Or the sinister symphony of Hell,
Despite our astral sadness, all is well:
My soul with your soul takes pleasure and cries.

Nestor Vítor

This noble pact has the power to bind!
Celestial fingers will render us blind.
Dream will cover us with its starry net,

Cruz e Sousa

And lost, lost in something that has no end,
Our souls, in the Incandescent Godsend,
Will quench at last this thirst we can forget...

Nestor Vítor

And lost, lost in something that has no end,
Our souls, in the Incandescent Godsend,
Will quench at last this thirst we can forget...

Sequence XXXIV

Exterior. Dusk. Lighthouse.

With tears in his lost gaze and staring at the vastness of the ocean, Cruz e Sousa looks toward the sea's horizon and recites lines from the poem "Oblivion." The feeling of solitude increases as the camera recedes until it frames the character from the distant perspective of a helicopter circling the lighthouse.

CRUZ E SOUSA (V. O.)

Tenebrous river of oblivion,
Coldest river that I know,
Coffin-like waters that grant no pardon,
River of the bitter flow.

O, my poetry, all my verse, my pride,
Mad wine for my drunken quest,
Or music like a mother's at my side,
Or like birds making their nest.

My poetry, with your crafted lament,
My enigma and my guide,
Did you help me in that supreme instant,
That supreme point when I died?

How could you forget me, my insane verse,
Poems of my solitude,
My sky and my vast ocean and my earth,
My temple and my sacred food?

Tenebrous river of oblivion,
Coldest river that I know,
Coffin-like waters that grant no pardon,
River of the bitter flow.

Sequence XXXV

Exterior. Night. Street.

The samba school Copa Lord, from Florianópolis, Brazil, presents a parade whose theme is the life and work of Cruz e Sousa. From amongst the lines of people that move to the sound of the *samba-enredo*, the figure of Cruz e Sousa on a float emerges, elegantly dressed. Toward the end of the music, the actor who plays Cruz e Sousa appears from the figure's body with a smile for the camera. It is the celebration of the poet, who, one hundred years after his death, continues to live in the memory of the people.

CHORUS

"Heart, open up your doors to poetry
and take a trip through the rhymes of our major poet
fly and fly again among the stars of tenderness
and fall in love
with that world of emotions and fantasies

He's talking about eternal beauty in poetry and prose
divine madness
secrets of the soul
that blossom from the artist's heart
and overflow into the waters
of misfortune and sorrow
our literature's moral hero

Bright moon, bright moon
use your enchanting power
on Gavita the lovely black flower

Old wind, weeping guitars, sonata
at dusk, harvest of stars, resurrection
works of an illuminated poet

Cruz e Sousa, you're the light of inspiration
nocturnal star, banished in your own nation

Here comes Copa Lord now
happy
to be giving a cultural bath in my
country
singing its Carnival in harmony
with the universal Black Swan."

THE END

Steven F. White is a poet, professor, editor and translator from the United States. He has a Ph.D. in Spanish from the University of Oregon and currently teaches Hispanic American Literature at St. Lawrence University in Canton, New York. From 1993-94 he lived in Florianópolis, Brazil, where he began to study the poetry of Cruz e Sousa. He has edited anthologies of verse from Brazil, Nicaragua and Chile and was co-translator into English of Poeta en Nueva York, by Garcia Lorca. His work include: *Burning the Old Year* (1984), *For the Unborn* (1986), *From Country of Thunder* (1990); *Landscape with one Candle and Assyrian Bees/Paisagem com uma Vela e Abelhas Assirias* (a bilingual English/Portuguese edition, Florianópolis/SC, 1995); *Fuego que engendra fuego/Fire that Engenders Fire* (Madrid, 2000) and *Ayahuasca Reader* (anthology) (Santa Fe, New Mexico, 2000).

***Steven F. White**, poeta, professor, editor e tradutor norte-americano. Ph.D. em Espanhol pela Universidade de Oregon, leciona atualmente "Literatura Hispano-americana" na St.Lawrence University (Canton, Nova Iorque). Entre 1993 e 94 morou em Florianópolis (SC), onde se aproximou da obra de Cruz e Sousa. Organizador de antologias de poesia do Brasil, Nicarágua e Chile, co-traduziu para o inglês* Poeta en Nueva York, *de Garcia Lorca. Obra poética:* Burning the Old Year *(1984)*, For the Unborn *(1986)*, From the Country of Thunder *(1990)*, Paisagem com uma Vela e Abelhas Assírias/Landscape with One Candle and Assyrian Bees *(edição bilíngüe inglês/português, Florianópolis/SC,1995)*, Fuego que engendra fuego/Fire that Engenders Fire *(Madri, 2000) e* Ayahuasca Reader *(Antologia) (Santa Fé, Novo Mexico, 2000)*.

CRUZ E SOUSA

EL POETA PROSCRITO

Guión de Sylvio Back

Participación Rodrigo de Haro

Traducido por Walter Carlos Costa

Prólogo

Interior. Día/Noche. Vagón de carga.

Vagón de transporte de ganado, semiabierto. El paisaje corre rápido al fondo de la silueta de CRUZ E SOUZA (un negro altivo de 36 años), de saco raído y zapatos gastados, que yace inerte sobre pasto seco y aserrín, la cabeza recostada sobre el regazo de su embarazada mujer GAVITA (una bella negra de 30 años), deshecha en llanto. Cruz e Sousa, la sangre brillando en los labios, mira fijamente hacia la nada. Gavita, en un gesto mecánico, reiteradamente trata de arreglar un saco y una corbata inexistentes. Con los dedos le peina el pelo, le toca nerviosamente los brazos y le arregla las manos. El cadáver es el de un hombre maltratado, agotado. La escena es patética por la soledad y por lo insólito del ambiente, a veces invadido por el vapor que lanza la locomotora. Se tiene la nítida impresión de que Cruz e Sousa, de hecho, no está muerto. Una gélida luz, como si fuera de la luna, empieza a bañar al poeta y a su mujer y termina por hacer las veces de horizonte. Personajes que aparecerán en el transcurso del filme, y que por detrás tienen caballos, velan improvisadamente: las pequeñas actrices, las tres blancas, JULIETA DOS SANTOS (12 años) y GEMMA CUNEBERTI (10 años), la pequeña guitarrista GIULETTA DIONESI (12 años) que toca su instrumento, la novia-doncella PEDRA ANTIÓQUIA (una esbelta negra de 17 años), los viejos padres GUILHERME y CAROLINA (ex esclavos, ambos con más de 70 años), los amigos y escritores, todos blancos, NESTOR VÍTOR, ARAÚJO FIGUEIREDO, OSCAR ROSAS, MAURÍCIO JUBIM (que aparece dibujando el rostro de Cruz e Sousa agonizante), VIRGÍLIO VÁRZEA y TIBÚRCIO DE FREITAS (todos alrededor de los 30-35 años). Sobreponiéndose a la escena seleccionada del poema "Antífona", la mayoría *Off Screen* (O.S. – el actor está en escena pero no focalizado por la cámara), algunas estrofas son balbuceadas a veces por el "muerto" y repetidas por uno y por otro, después en coro por todos los presentes.

Cruz e Sousa

¡Oh Formas albas, blancas, Formas claras
¡De lunas, de nieves, de neblinas!...
¡Oh Formas vagas, fluidas, cristalinas!...
Inciensos de turíbulos de aras...

Coro (O.S.)

Formas de Amor, constelarmente puras,
De vírgenes y Santas vaporosas...
Brillos errantes, rociadas frescuras
Y quebrantos de lirios y de rosas...

Cruz e Sousa

Primordiales fuerzas, esencia, gracia
De carnes femeninas, sutilmente...
Todo ese efluvio que por olas pasa
Del Éter en áureas, rosas torrentes.

Nestor Vítor

Negras flores del tedio y flores vagas

Araújo Figueiredo

De amores tantálicos, enfermizos

Oscar Rosas

Hondos rubores de antiguas llagas

Virgílio Várzea

Sangrando, abiertos, escurridizos...

CORO (O.S.)

¡Todo! Nervioso, ágil, candente y fuerte,
En irreales vorágines del Sueño,
Pase cantando ante el perfil guijeño
Y el tropel cabalístico de la Muerte...

LETREROS

Cruz e Sousa en un terreno de candomblé.

Secuencia II

Interior. Noche. Terreno de culto de *candomblé.*

El actor que interpreta a Cruz e Sousa se pone frente a un espejo de tocador, preparándose para entrar en escena. Ensaya, repitiendo varias veces los versos que siguen. Por el reflejo del espejo se vislumbra un terreno de *candomblé*. Cercado de seguidores de *candomblé* (hombres y mujeres vestidos con trajes rituales) Cruz y Sousa, con pantalón blanco y camisa blanca, el cuerpo salpicado de sangre, es sometido a una sesión de pases. Tambores y timbales, incienso, velas, flores– el pequeño terreno es de tierra firme y el ambiente es de nítida pobreza. Sentado delante del sacerdote del *candomblé*, Cruz e Sousa sigue las conchas que son tiradas en su intención. No hay público presente, pero el clima es de comunión. Cruz e Sousa parece entrar en trance. La idea es la de un actor en busca de su personaje. Se escuchan estrofas del poema "El señalado", seguidas por el discurso del sacerdote del *candomblé*:

Cruz e Sousa

Eres el loco de inmortal locura,
Loco de la locura más suprema.
La tierra es siempre tu cadena extrema,
Préndete a ella total Desventura.

Eres el Poeta, el gran Señalado
Que pueblas el mundo despoblado
De bellezas eternas, lentamente.

En la naturaleza maga y rica
Toda audacia de nervios justifica
¡Tus inmortales espasmos dementes!

Sacerdote del candomblé

"João, hijo mío, Ifá, el dios de las adivinanzas, me dijo que ningún sufrimiento es vano en esta vida. Ninguna lágrima se pierde. La vida humana, João, es sólo una preparación para la vida verdadera. No hay una lágrima que no vea Dios, João. ¿Quién nunca ha llorado su lágrima secreta? Dios la guarda por toda eternidad. Así, João, sacarás del dolor y del sufrimiento la riqueza y la grandeza de tus poemas. Que los dioses africanos, João, te den fuerzas para que enfrentes las pruebas y sigas tu ruta en esta vida. Que todas las fuerzas benéficas te bendigan, hijo mío. Y que Olorum, señor del cielo, te dé paz y tranquilidad en tu camino. Axé."

Sobre las imágenes del actor en trance, surge en la pantalla esta semblanza del personaje.

Texto

Hijo de esclavos horros, João da Cruz nació en 1861, en la ciudad de Nossa Senhora do

Desterro, actual Florianópolis, en el Estado de Santa Catarina, Brasil. Criado por la familia del bienhechor de sus padres, recibe educación y cultura de corte europeo.

Desde la adolescencia enfrenta el prejuicio en Santa Catarina que no reconoce ni sus méritos ni su talento de escritor y poeta.

A los 29 años, después de viajar por el país como apuntador en una compañía de teatro y participar en campañas abolicionistas, Cruz e Sousa se muda a Río de Janeiro.

En 1893 publica los libros *Missal* (Misal) y *Broquéis* (Broqueles); este, de poemas, es la piedra angular del Simbolismo en Brasil.

En vez de gloria, aumenta contra él la segregación racial y social y la envidia del poder literario de la época.

Se casa con Gavita Rosa Gonçalves, madre de sus cuatro hijos y cuya locura temporaria marca profundamente su vida y su arte.

En la miseria y tuberculoso, busca cura en las termas de Sítio (Minas Gerais), donde acaba muriendo el 19 de marzo de 1898, a los 36 años.

Al despedirse del amigo Nestor Vítor entrega los originales de *Evocações* (Evocaciones), *Faróis* (Faros) y *Últimos Sonetos* (Últimos Sonetos) – publicados póstumamente.

El cuerpo vuelve a Río de Janeiro en un vagón de transporte de ganado.

Secuencia III

Interior. Noche. Teatro.

Vemos a Cruz e Sousa en el interior de la concha del apuntador de un palco de teatro, cuyo público no aparece, sólo se oye su murmullo. En escena, una niña "artísticamente" en harapos, cadenas rotas en las muñecas y tobillos, y en las manos un pájaro negro embalsamado que recita el poema "El mirlo", de Guerra Junqueiro. Es JULIETA DOS SANTOS, una actriz precoz que hace meses molesta al joven Cruz e Sousa. Mientras ella habla, el poeta apenas mueve los labios, como si recitara el poema para sí mismo.

JULIETA DOS SANTOS

"Cuánto dolor, cuánto amor y cariño,
Cuánta noche perdida
No lo sé...
Y todo, ¡todo en vano!
....

¡Hijos de mi existencia!
¡Hijos del corazón!...
No bastaba la naturaleza entera,
No bastaba el cielo para que vueles,
¡Y los prenden así de esa manera!....
¡Crueles!
....
La luz, la luz, el movimiento insano,
Es el aguijón, la fe que nos embala...
Encarcelar el ala
Es encarcelar el pensamiento humano.
....
¡Fáltame luz y aire!... ¡Oh, si yo pudiera
Ser un buitre o ser fiera
Para deshacer la cárcel maldita!

¡Qué noche tan límpida y luciente!
No lamenta, no grita…
¡Qué noche triste! ¡Oh noche silente!…"

Mientras Julieta le presta auxilio en los diálogos, Cruz e Sousa parece desvestirla con los ojos. La cámara recorre el cuerpo, los gestos y se fija en los labios, en los talones, en los pliegues de la cintura semicubierta de Julieta, que inocentemente coquetea con su admirador. Cruz e Sousa no logra disfrazar su fascinación y recita para ella estrofas de sonetos (sin título) dedicados a ella y también estrofas del poema "Julieta dos Santos".

CRUZ E SOUSA

Es delicada, suave, vaporosa,
La gran actriz, la singular hechura…
Es linda y clara como nieve pura,
Endeble, frágil, divinal, nerviosa…

……………………………………

El seno tuyo, la genial cabeza
Tan bien tallada
Y burilada

……………………………………

Cuando apareces todo ríe y llora,
Se endiosa, agita,
Como que palpita

……………………………………

Julieta dos Santos tiene ahora en las manos una Biblia que, después de declamar la estrofa, tira en dirección al público que estaría asistiendo al espectáculo.

JULIETA DOS SANTOS

"Hijos, la vida solamente vale
Cuando se es libre. La libertad es ser,
Préndese el ala, pero el alma sale…
Oh hijos, ¡volemos!… ¡A comer!…"

Hay más fe y más verdad,
Hay más Dios con certeza
En los cardos de una roca pelada
Que en esa Biblia... Oh naturaleza,
¡Eres la única Biblia revelada!..."

Al terminar, surge frente a ella Cruz e Sousa, quien le hace una inequívoca declaración de pasión, dejándola más coqueta todavía.

CRUZ E SOUSA

Cuando apareces, estoy impasible
¡Y mudo y fijo, trémulo, helado!...
Quisiera estar atento, callado,
Quisiera hablar ¡pero no es posible!...

Todo se calla en la natura inmensa,
Allá en las huertas
Las luciérnagas
¡Y las grandes veletas en el cielo!...
Todo está mudo y hasta yo JULIETA,
Ya delirante
Voy vacilante
A caerme a tus pies: ¡un reo, un siervo!

Cortejo de admiradores de Julieta dos Santos en Desterro.

Secuencia IV

Exterior. Noche. Playa.

A la orilla del mar, Julieta dos Santos sobre un andén es llevada por un pequeño cortejo de admiradores, algunos portando antorchas, entre ellos Virgílio Várzea, Araújo Figueiredo y Oscar Rosas. El feérico cortejo corre por la playa de la Isla del Destierro como en un ballet. Cruz e Sousa, caminando al lado de Julieta, le declama los versos del poema "Aspiración", que ella retribuye con sonrisa seductora:

CRUZ E SOUSA

Eres la estrella ¡y yo el insecto triste!
Vives en el Azul, en las esferas,
En el centro de claras primaveras
Justo donde el amor eterno existe.

Ni de lejos vana gloria me asiste
Para alzar vuelo a olímpicas quimeras
De tu brillo ideal, allá donde imperas
En el fulgor a quien nadie resiste.

Mientras refuljas allá en las alturas
Yo erraré en densas espesuras,
De la tierra sobre el duro asfalto.

¡En vano tu luz me seduce y clama!
Pero ¿cómo ir a ti si vi la llama,
Si soy tan chico y el cielo es tan alto?

Secuencia V

Exterior. Atardecer/Noche. Playa.

Cercado por un pasillo construido con una docena de pequeños, elegantes castillos de arena, vemos a Cruz e Sousa (con saco, corbata, chaleco y zapatos), inmóvil a la orilla del mar en una playa desierta. Extrañamente, Cruz e Sousa está con los ojos cerrados como si fuera un ciego. Al final de los castillos, observando la escena desde arriba con una mirada seductora, una MUJER SEMIDESNUDA, blanca y pelirroja (de alrededor 20/25 años) parece constituir un blanco para Cruz e Sousa. Con aire desolado, intenta moverse como un cangrejo en la arquitectura que se levanta delante de él. A medida que se agita, con los brazos, manos, piernas y pies destruye las frágiles construcciones de arena. Se oyen las estrofas de los poemas "Regina Coeli", "Amapola" y "Alda".

CRUZ E SOUSA

¡Oh virgen blanca! Estrella de altares,
¡Oh Rosa de los Rosales polares!

Blanca, del blancor de copas sagradas
Y de níveas camelias congeladas.

De blancuras de seda sin desmayos
Y de luna de lino en nimbo y rayos.

....

Rubia eres más hermosa
De que si rucia fueras:
Cuerpo de efluvios de rosa
Esbelta como palmera.

......

De tu albo abanico abierto,
Ala de garza alumbrada,
Aspiro un perfume incierto,
Quizás tu alma dispersada.

......

Clara, como heladas aurorales,
De destilada candidez de aromas...
Parece andar en nichos y redomas
De Vírgenes monjas medievales.

Corta para Cruz e Sousa exangüe y desnudo en la arena de la playa. Sobre él se asoma lánguidamente la mujer pelirroja y blanca de la escena anterior. Ella se pone a acariciarlo mientras le recita el poema "Afra", del cual él, en voz *Off Screen*, ensaya un dueto.

CRUZ E SOUSA/MUJER SEMIDESNUDA

Resurges de misterios de lujuria
Afra, tentada por los verdes pomos,
Entre silfos magnéticos y los gnomos
Maravillosos de pasión purpúrea.

Carne explosiva en pólvoras y furia
De deseos paganos, por entre asomos
De virginidad – carcajeantes momos
Riéndose de la carne en pura incuria.

Pronto volcada al lánguido abandono,
A mórbidos deliquios como al sueño,
Del gozo a sorber jugos deletéreos.

Te sueño diosa de lascivas pompas,
A proclamar, impávida, por trompas,
Amor, más que los eunucos, estéril.

Secuencia VI

Interior/Exterior. Día. Casa.

Asomada a la ventana (al fondo sólo aparecen sombras moviéndose dentro de la casa) se ve PEDRA ANTIÓQUIA, una joven negra bella y sensual, novia de Cruz e Sousa, de la mano con él, que está en la calle. Se besan furtivamente. En respuesta a sus sonrisas, Cruz e Sousa le susurra el poema "Flor del Mar":

CRUZ E SOUSA

Desde el origen del mar, del secreto,
Del extraño mar espumoso, vienes.
Mar que pone al barco sueños perennes,
Y lo deja bogar, en la ola, inquieto.

Tienes del mar el deslumbrante afecto,
Las quietudes nerviosas y el sombrío
Y turbio aspecto aterrador, bravío
De las olas en el tétrico aspecto.

En fondo ideal de púrpuras y rosas
Surges de aguas mucilaginosas
Como la luna entre la niebla vaga...

Tu carne tiene florecer de viñas,
Auroras, puras músicas marinas,
Acres aromas de sargazos y algas ...

Cuando Cruz e Sousa intenta abrazarla, Pedra Antióquia se pone a cantar en su oído, en yoruba, la "Cantiga de los amantes".

PEDRA ANTIÓQUIA

Si quieres ser mi amado
Pregúntale primero a tu cabeza

Si quieres casamiento
Pregúntale primero a tu cabeza

Si quieres tener plata
Pregúntale primero a tu cabeza

Si quieres construir una casa
Pregúntale primero a tu cabeza

Si quieres ser feliz
Pregúntale primero a tu cabeza

¡Oh cabeza! Cabeza,
¡haz que las cosas buenas lleguen a mí!
A su lado soy su bienestar, suplicando
Haciéndome sentir bien con mi suerte
¡Mi suerte es mi querido esposo!...

La pianista Gemma Cuneberti (Julie Philippe dos Santos).

Secuencia VII

Exterior/Interior. Noche. Jardín/Casa.

En las proximidades de una mansión, atraído por la música, Cruz e Sousa espía a través de la ventana a una niña que toca el piano, al lado de su madre, tan bonita y clara como ella. Se trata de la pianista GEMMA CUNIBERTI, otra pasión adolescente y secreta del poeta. Como si la cámara interpretara sus deseos, vemos a la niña a través de su mirada. Por miedo a que lo descubran no se atreve a acercarse. Cruz e Sousa cierra los ojos. Se oye el poema "Magnolia de los trópicos" en *Voice Off* (V.O. – la voz del personaje en monólogo interior).

CRUZ E SOUSA (V.O.)

....
Tu seno pagano de curvas finas,
El más puro entre todos los altares,
Es donde veo alzarse circulares
Eternas preces de amor diamantinas.

Ábreme entonces tus brazos de seda
y del verso en la límpida alameda,
donde hay, sombra, sol, susurro y frescor;

Con el ala de un beso palpitando,
Ven, en fiebre de pájaro cantando,
A darme la extremaunción de tu amor.

Secuencia VIII

Exterior. Día. "Farra do Boi".

Selección de filmes de archivo y fotos, de diferentes años, mostrando la "Farra do Boi" en el Estado de Santa Catarina. Las imágenes del buey perseguido y maltratado sirven tanto como metáfora de la propia vida del poeta y de los negros esclavos y después libertos, como de su compromiso con las luchas abolicionistas. Interpretado por Cruz e Sousa se oyen en *Voice Off* estrofas del poema "Esclavistas". En la banda sonora, ruido de azotes y gritos de dolor, llanto de niños y de mujeres.

CRUZ E SOUSA (V.O)

¡Esclavistas!
¡Oh tránsfugas del bien que en manto regio
Mañosos, acurrucados –cocodrilos,
Viven sensuales bajo un privilegio
Y 'aire' bestial de quelonios tranquilos!

¡Esclavistas!
Me río de ustedes y les clavo saetas
Ardientes con la mirada – un azotazo
De mil rayos de sol, de iras de poetas,
Les golpeo la espina – hasta el ¡basta!

El ¡basta! Inmenso, gigantesco, indemne –
De la blanca conciencia – el sagrario
En el tímpano – osado no me suene.

¡Esclavistas!
Yo quiero en rudo verso altivo adamastórico*,
Rojo, colosal, estrepitoso, gongórico,
Castrarlos como a un toro – ¡oyéndolos bramar!
Castrarlos como a un toro – ¡oyéndolos bramar!
Castrarlos como a un toro – ¡oyéndolos bramar!

---

* Adamastor: citado por Luis de Camões en *Os Lusíadas*, es el gigante que protegía el Cabo de Buena Esperanza y que trató de impedir que Vasco da Gama lo cruzara.

Secuencia IX

Interior. Día. Noche. Fondo infinito.

Se toma la escena por un primer plano de Cruz y Sousa y de su amigo Virgílio Várzea, en cuyos ojos se refleja una especie de fuego fatuo. Ambos dramatizan el texto de una carta. Virgílio Várzea como que adivina las palabras de Cruz e Sousa.

CRUZ E SOUSA

"Adorado Virgílio, me estoy mareando
y mentalmente cansado...

VIRGÍLIO VÁRZEA

Cansado de todo, de esperar sin fin por éxitos en la vida, que nunca llegan. Estoy fatalmente condenado a la miseria y a la sordidez...

CRUZ E SOUSA

No hay por dónde seguir. Todas las puertas y atajos se me cierran y para mí, pobre artista ariano, sí ariano porque adquirí, por adopción sistemática, las cualidades altas de esa gran raza...

VIRGÍLIO VÁRZEA

... para mí, que sueño con la torre de la luz de luna y de la ilusión, todo vi escarnecedoramente, diabólicamente, en un tono grotesco de ópera bufa.

> ¿Tendría yo que venir aquí abajo, a la tierra, para arrastrar el grillete de la vida? ¿Buscar ser un elemento entre el espíritu humano? ¿Para qué? ¡Un triste negro, odiado por las castas cultas, apartado de las sociedades, pero siempre golpeado, expulsado de todo lecho, escupido en todo hogar como un leproso siniestro! ¡Cómo, pues! ¡Ser artista con este color!"

Terminado el poema, la cámara revela que lo que parecía un fuego fatuo son rollos de filme que se queman.

Secuencia X

Interior. Día. Taller del diario/Academia.

En el taller de un diario, viéndose al fondo paisajes ampliados de tarjetas postales de Río de Janeiro (inicio de la década de 1890), letras forman, manualmente, palabras, los tipos de la imagen en directo se transforman en títulos de diarios de la época. En uno de los titulares se lee "FUNDADORES DE LA ACADEMIA BRASILEIRA DE LETRAS VETAN A CRUZ E SOUZA". Y en el texto: "Hasta escritor inédito integra la recién creada Academia de Letras". Bajo la mirada feroz y sarcástica de Cruz e Sousa, sus fieles amigos Nestor Vítor, Oscar Rosas, Araújo Figueiredo, Virgílio Várzea representan un *triolet* (versos irónicos, muy populares en aquel entonces). Abrazados o solos, individualmente o en coro todos hablan directamente a la cámara. Entrecortando la pantomima, una herma de Machado de Assis con una nevasca de polvo de arroz sobre su cabeza.

VIRGÍLIO VÁRZEA

Machado de Assis, asaz
Machado de asaz, Assis;

ARAÚJO FIGUEIREDO

¡Oh! Zebra escrita con tiza,
Toma la pluma, hace "zas".

NESTOR VÍTOR

El "Borba"* por una brizna,
Es plagiario de "Gil Blás"**,

---

* *Quincas Borba* es título de una de las novelas de Machado de Assis, publicada en 1891;

** Alain René Le Sage (1668-1747), escritor francés, autor de la novela picaresca *Gil Blás*.

VIRGÍLIO VÁRZEA

En Le Sage escudado,
Banalidades ha dado.

OSCAR ROSAS

Mecha que arde vehemente,
Mera careta de fuente.

NESTOR VÍTOR

Machado de Assis, asaz.
Machado de asaz, Assis.

Los amigos Nestor Vítor (Guilherme Weber), Oscar Rosas (Jacques Basseti), Maurício Jubim (Marco Aurélio Borges), Virgílio Várzea y Araújo Figueiredo (Marcelo Perna)

Secuencia XI

Interior. Día. Sala de estar.

En una sala de estar, Nestor Vítor lee para Virgílio Várzea que, con Oscar Rosas, Araújo Figueiredo, Tibúrcio de Freitas e Maurício Jubim, alterna las estrofas de un poema publicado en la prensa que agrede a Cruz e Sousa. A medida que oyen los versos, se sienten ofendidos por el amigo que al comienzo parecía indiferente, pero a quien después se le encuentran amargado en el rincón de la sala.

NESTOR VÍTOR

Queridos amigos, oigan este soneto con el nombre de nuestro Cruz invertido publicado hoy en la "Gazeta de Notícias", ironizando su vocabulario. ¿Por qué tanta envidia y humillación?

Después de sentir la reacción de los presentes, Nestor Vitor comienza a leer el poema, pero antes enfatiza su título que es "En la costa de África":

NESTOR VÍTOR

"Flava, bizarra, alacre y cintilante,
En épicos redobles de tambores,
Surge el alba de místicos vapores,
Del Levante irisado, purpureante...

VIRGÍLIO VÁRZEA

Carcaja el sol, – el Dios enamorante,
Cristales bruñiendo y claros fulgores
En comunión de rubros esplendores,
En ruda África, bárbara, distante.

Oscar Rosas

Y entonces, torticolisamente,
Venía en macabra danza la ardiente
turba de negritos riéndose en tanga

Araújo Figueiredo

Fiesta convulsa, exacta de Alegría,
Fandangos, Bonzos – todo, en fin, había:
Misales, Palomitas, Morondangas…"

Secuencia XII

Interior. Noche. Tarjeta postal.

Corte para Cruz e Sousa frente a la tarjeta gigante donde se ve el rostro sonriente del africano. Dramatiza el poema "Odio sagrado":

CRUZ E SOUSA

¡Oh! Odio mío, odio majestuoso,
Mi odio santo y puro y bienhechor,
Úngeme la frente con tu gran beso,
Vuélveme humilde y vuélveme orgulloso.

Humilde, con humildes generoso,
Orgulloso con seres sin Deseo,
Sin bondad, sin Fe y sin centelleo
De sol fecundador y cariñoso.

¡Oh! Odio mío, lábaro bendito,
De mi alma agitado en infinito,
A través de otros lábaros sagrados.

¡Odio sano, odio bueno! ¡Sé escudo
Contra los crueles del Amor, sañudos
De las siete torres de los Pecados!

Secuencia XIII

Interior. Día. Capilla.

En pose solemne, desviando la mirada de la cámara, y reproduciendo la clásica foto de Cruz e Sousa, surge elegantemente vestido el actor que interpreta al poeta, que trae una corona de laureles sobre la cabeza. Al pie del cuadro arden velas sobre el simulacro de un pequeño altar donde se ven los libros póstumos *Evocações* (Evocaciones), *Faróis* (Faros) y *Últimos Sonetos* (Últimos Sonetos), empilados junto a ramos de flores silvestres. La cera, a medida que va derritiendo, se funde a varios dorsos desnudos, negros y blancos, que se mueven en un ballet formando versos de los poemas y autógrafos de Cruz e Sousa. A ellos se sobreponen las estrofas del poema "Encarnación" recitadas por Cruz e Sousa, que asume el total control de la pantalla.

Ballet de la apoteosis del poeta.

Deseos y anhelos muy carnales,
Que sean muy carnales, palpitados.
Sean frémitos y encantos tales
Como de harpas de emoción tocados...

Sean carnales sueños nebulosos
De rumbos estelares, fabulosos
Con Visiones de amor durmiendo heladas...

Sueños, palpitaciones, tantas ansias
¡Formen, con claridades y fragancias,
La encarnación de lívidas Amadas!

Secuencia XIV

Exterior. Atardecer. Río de Janeiro.

Cruz e Sousa y Gavita salen de una iglesia en los alrededores de Río de Janeiro, en explícita actitud de enamorados. Conversan en voz baja. Cruz e Sousa habla (textos extraídos de las cartas del poeta) meditando bajo la mirada a veces admirada, a veces perdida de Gavita. Otras veces ambos se miran mudos, apasionados.

CRUZ E SOUSA

Cuando estoy a tu lado, Gavita, me olvido de todo, de las ingratitudes, de las maldades y sólo siento que tus ojos me hacen morir de placer (...)

GAVITA

A todo instante mi pensamiento vuela hacia donde estás tú, te veo siempre, siempre y nunca me olvido de ti en todas partes donde estoy. Eres mi preocupación constante, mi más fuerte deseo, mi más sentida alegría.

CRUZ E SOUSA

Sabes cuánto te amo, cuánto te quiero desde el fondo de mi sangre sobre todas las mujeres del mundo. Me pongo siempre alegre, contento, lleno de orgullo, cuánto te puedo decir que soy y seré siempre tuyo, que te amaré hasta la muerte, llenándote de extemados cariños y de amabilidades, de distinciones que sólo a ti quiero dar, idolatrada Gavita, adorable ser de mis sueños, de mis cuidados y de mis pensamientos.

Secuencia XV

Interior. Día. Dormitorio.

Corte para Gavita, recostada semidesnuda en un claro lecho nupcial con ricos adornos florales. Discreta mancha de sangre hecha de cera colorea también la escena. Toda encantada, balbucea palabras de una carta de Cruz e Sousa.

GAVITA

Te quiero, te quiero mucho, con toda mi sangre y con todo mi orgullo y mi deseo poderoso es unirme a ti, vivir en tus brazos, protegido por tu pura bondad, por tus gracias que adoro, por tus ojos que beso.

Secuencia XVI

Interior. Noche. Dormitorio.

Corte para el escenario anterior del lecho nupcial, ahora apenas iluminado con largas velas, lo que presta al cuadro una visible aura de romanticismo. Gavita, con Cruz e Sousa en sus brazos, susurrando, recita el poema "Gran amor". En las dos últimas estrofas Cruz e Sousa recita en coro con ella.

GAVITA

Amor grande, gran amor, gran misterio
Que a nuestras almas trémulas enlaza...
Cielo que nos besa y que nos abraza
En abismo de luz profundo y serio.

Eterno espasmo de un deseo etéreo,
Bálsamo de bálsamos de la gracia,
Llama secreta que en las almas pasa
Y deja en ellas un claro sidéreo.

GAVITA/CRUZ E SOUSA

Cantar de ángeles y arcángeles vagos
Junta aguas sonámbulas de lagos,
Bajo claras estrellas desprendido...

Sello perpetuo, puro y peregrino
Que ata a las almas en igual destino,
En un beso fecundo en un gemido.

Secuencia XVII

Interior. Amanecer. En el mismo dormitorio.

Cruz e Sousa despierta a Gavita suavemente en los oídos. Mientras sus palabras fluyen acompasadamente, Gavita abre los ojos, sonríe y lo ciñe con cariño.

CRUZ E SOUSA

Sólo tú eres la Reina de mi amor, sólo tú
mereces mis besos y abrazos (...). Sólo tú
eres merecedora de que te quiera mucho,
como te quiero, mucho, mucho, mucho y
cada vez más, con más firmeza, siempre fiel,
siempre tu buen esclavo agradecido,
haciendo de ti mi estrella, la esposa santa,
la adorada compañera de mis días...

Secuencia XVIII

Exterior. Día. Cementerio escenográfico.

Sentado sobre la tumba adornada con arabescos y figuras de nítida inspiración simbolista, y teniendo al fondo un panel pintado que sitúa la escena en las proximidades de una iglesia, Cruz e Sousa medita. Cruz e Sousa, visiblemente deprimido, en tono exclamatorio, dramatiza versos del poema "Vida oscura".

CRUZ E SOUSA

Nadie sintió tu gran espasmo oscuro,
¡Oh! ser humilde entre humildes seres,
Embriagado, perdido en los placeres,
El mundo fue para ti negro y duro.

Atravesaste en silencio oscuro
La vida presa a trágicos deberes
Y llegaste al saber de altos saberes
Volviéndote más sencillo y más puro.

Nadie te vio el sentimiento inquieto,
Herido, oculto y aterrador, secreto,
Que el corazón te apuñaló en el mundo.

Pero yo que siempre seguí tus pasos
Sé qué cruz infernal te ató los brazos
Y tu suspiro, ¡cómo fue profundo!

Secuencia XIX

Exterior. Día. Sala.

El cadáver, vestido de blanco, del viejo padre Guilherme se encuentra tendido en una cama rústica, cubierto por una sábana blanca. A la cabecera de la cama, su mujer, Carolina, envuelta como una momia (ella ya está muerta). El ambiente está vacío. La única luz proviene de algunas velas encendidas. Pasajes del poema en prosa "Abriendo féretros (Carolina y Guilherme)" son susurrados por Cruz e Sousa y Carolina.

CRUZ E SOUSA

¡Sí! Ser de Ángeles que, sin embargo, el infierno posee y por fin terminó por estrangular. ¡Sangrante corazón! ¡Ser de mi ser! Los otros seres (...) nunca sabrán, melancólicamente no, nunca, qué hostia sanguinolenta y acerba te dieron a comulgar en la vida...

Asumiendo la voz de Cruz e Sousa, con las lágrimas corriendo por el rostro, Carolina sigue recitando el poema en prosa.

CAROLINA

... qué tenebroso pan de Pascua de lágrimas te dieron para devorar, qué cáliz de vino letal, alucinante, chupado a la hiel de las llagas y de las gangrenas te propinaron en la boca corrompida por el primer beso de amor, cuando tenías hambres y sedes...

CRUZ E SOUSA

... voraces, ciegas, desesperadas del No Ser, cuando aspirabas a las formas celestes, cuando

sentías, a pesar de tu inocuidad de polvo pero
– ¡tal vez! – polvo de algún divino astro
diluido, el insaciable deseo de abarcar infinitos.

CAROLINA

... cuando aspirabas a las formas celestes,
cuando sentías, a pesar de tu inocuidad de
polvo pero – ¡tal vez! – polvo de algún divino
astro diluido, el insaciable deseo de abarcar
Infinitos.

Ahora la cámara empieza lentamente a "sobrevolar" la cama y la mujer, viéndose al fondo, como si no pudiera acercarse, la figura de Cruz e Sousa.

CRUZ E SOUSA

Yo, que andaba ausente del techo donde
exhalaste tu postrer gemido, no te pude
ver en el bello desdén tranquilo de la
muerte a las vanidades de la vida. No te
fui a cerrar los ojos, compungidamente,
con la amorosa delicadeza de mis manos
trémulas, ni pasar para ellos, en fluidos
ardientes, el resentido adiós de los ojos
míos. No te pude decir, mansamente,
muy cerca de mis ojos y de mi corazón
moribundo, con toda la volupia de mi
dolor, las untuosas y extremas palabras de
la separación, las cosas inefables y
gimientes en el dilacerante momento en
que nuestros brazos abandonan para nunca
más apretar, los amados brazos que ya están
vencidos, entregados al renunciamiento de
todo y que nosotros tanto y tan
acariciadamente apretamos. ¡Pero nada le

importa a la Vida y nada le importa
a la Muerte!

En la misma escena, inmerso en la oscuridad, al fondo, sigue velando Cruz e Sousa todavía con restos de lágrimas brillando bajo sus ojos, primero en silencio, de repente encarando la cámara recita:

CRUZ E SOUSA

....

Ese duelo, esa noche, esa tiniebla es lo
que deseo. Tiniebla deliciosa que anule
la degeneración de los sentimientos
humanos. Tiniebla que me disperse en el
caos, que me vuelva éter, que me disuelva
en el vacuo, como un sonido nocturno y
místico de bosque, como un vuelo de
pájaro errante. Tiniebla sin fin que sea mi
manto sin estrellas, que yo arrastre
indiferente y oscuro por el mundo, lejos
de los hombres y de las cosas, confundido
en el supremo movimiento de la
naturaleza, como un ignorado brazo del
malo que a través de profundas selvas
oscuras se va, sombría y misteriosamente,
a morir en el mar.

Secuencia XX

Interior/Exterior. Día/Noche. Estudio.

Encadenamiento de "portraits" con una serie de travestidos preferentemente negros y mulatos, entrecortados con fotos de violencia urbana contra ellos. En *off* la voz de Cruz e Sousa recita el poema "Letanía de los pobres". Ninguna escena debe coincidir con palabras o imágenes creadas en el poema.

CRUZ E SOUSA

Los rotos, la gentecilla,
Son flores de alcantarilla.

Son espectros implacables
Los rotos, los miserables.

Negras lágrimas agudas
Son de cuevas siempre mudas.

Son videntes elevados
De abismos sublevados.

Sombras de sombras muertas
Ciegos, a tantear las puertas.

Buscando el cielo, aflictos
Y cruzando el cielo a gritos.

Faros de noche apagados.
Por vientos desesperados.

¡Oh pobres! Sollozos hechos
De pecados maltrechos.

Figuras de deletéreos
Imponderables misterios.

Banderas innominadas,
Del hambre y sus barricadas.

¡Oh pobres! ¡Vuestra facción
Es tremenda en la acción!

Vuestras almas tenebrosas
Son llenas de olor a rosas.

Y en medio de estertores
Sois hermosos soñadores.

Secuencia XXI

Exterior. Noche. Playa.

Como si fuera un perro aullando para la luna, un Cruz e Sousa siluetado encara una luna *fake*, intensamente clara para establecer el contraste entre su negritud y la blancura de ella. Recita pasajes del poema en prosa "Asco y dolor".

CRUZ E SOUSA

Dolor y asco de ese salado lodo de raza entre los salados lodos de otras razas. Dolor y asco de esa raza de la noche, nocturnamente amortajada, de donde vine a través del misterio de la célula…

....

Dolor y asco de ese podrido y letal paúl de raza que me dio este lujurioso órgano nasal que

"Dolor y asco de ese lodo de raza..."

respira con ansiedad todos los aromas
profundos y secretos...

....

... estas manos largas que se afanan tanto
y tan rudamente; este órgano vocal a través
del cual sonámbula y nebulosamente gimen
y tiemblan veladas nostalgias y aspiraciones
ya muertas...

....

este corazón y este cerebro, dos serpientes
convulsas e insaciables que me muerden,
que me devoran con sus tantalismos.
Dolor y asco...

Secuencia XXII

Interior. Día. Sala de estar.

Nestor Vítor de pie en medio de la sala, sin saco, está abriendo una carta que acaba de recibir. Empieza a leerla en voz baja mientras busca un sillón para sentarse.

NESTOR VÍTOR

"Amigo mío, te pido que vengas con la
máxima urgencia a mi casa, pues mi mujer
está acometida de una exaltación nerviosa,
debido a su cerebro débil que, a pesar de
mis palabras enérgicas en sentido contrario
y de mi actitud de franqueza en tales casos,
cree en maleficios y persecuciones de toda
especie. Aquí te contaré todo. Tu presencia
me aclarará la decisión que debo tomar.
Te escribo dolorosamente afligido.
Tu Cruz e Sousa".

Secuencia XXIII

Interior. Día. Largo pasillo.

El rostro de Cruz e Sousa en primer plano: detrás de él la mujer Gavita se roza nerviosa y angustiada el cuerpo y el rostro en las paredes de un tortuoso y dramáticamente iluminado pasillo. También en la escena dos niños, entre tres y cinco años, junto a una cuna con un bebé durmiendo asisten a todo perplejos, tal vez lloren. Con lágrimas en los ojos, Cruz e Sousa recita a la cámara versos del poema "Inexorable".

CRUZ E SOUSA

¡Oh mi amor que ya moriste!
¡Oh mi amor, que muerta estás!
En esa cueva a que bajaste,
¡Oh mi amor que ya moriste!
¡Ah! ¿nunca más florecerás?

A tu escuálido esqueleto,
Antes teniendo de una flor
Gracia y encanto de amuleto;
A tu escuálido esqueleto
¿No volverá otro esplendor?

Gavita se mueve de un lado a otro como una bailarina imaginaria. Tiene el pelo revuelto, los brazos amarrados dentro de un roto delantal. Extrañamente emite sonidos que se sitúan entre el llanto y una inaudible canturía. Lleno de compasión, Cruz e Sousa se siente impotente para socorrerla. Con el rostro dirigido hacia el de ella, y ambos ocupando toda la pantalla, Cruz e Sousa se pone a susurrar el poema "Resurrección".

CRUZ E SOUSA

¡Alma mía! Que no llores ni gimas,
Es tu amor que vuelve ahora.
¡Helo que llega de mansiones finas,

De donde la locura mora!
....
Ya no siento tu sonreír macabro
De desdeñosa calavera.
Abro el corazón y los ojos abro
¡A la naturaleza entera!

Negros miedos sepulcrales y fríos
Allá murieron con el viento…
¡Ah qué desahogado estoy en ríos
De rejuvenecimiento!
....
Empero tú, al fin, resucitaste
Y todo en mí resucita.
Y mi Amor, que repurificaste
¡Canta en una paz infinita!

Por las reacciones de Gavita, parece que empieza a salir de la "locura". Con una sonrisa en los labios, Gavita se pone a cantar la *modinha, Desde o dia* ("Desde el día"), de Domingos Caldas Barbosa.

GAVITA

"Desde el día,
En que nací,
En aquel funesto día
Vino vahearme en la cuna
La cruel melancolía.

Fui creciendo
Y nunca pude
Ver la faz de la alegría
Tuve siempre como herencia
La cruel melancolía."

El rostro antes entristecido del poeta empieza a transmitir una gran alegría interior. Lentamente Gavita se calma y ambos se abrazan llorando.

Secuencia XXIV

Interior. Noche. Estudio.

Los amigos Nestor Vítor, Araújo Figueiredo, Virgílio Várzea y Oscar Rosas aparecen curvados sobre un imaginario Cruz e Sousa ya enfermo, que después surge deslizándose por los paúles dentro de una canoa. Se oyen los versos del poema "Guitarras que lloran".

CRUZ E SOUSA (V.O.)

Tibias guitarras que lloran, dormidas,
Sollozos a la luna, ayes al viento...
Tristes perfiles, siluetas perdidas,
Con bocas murmurantes de lamento.

ARAÚJO FIGUEIREDO

Cuando las guitarras van sollozando,
Cuando las guitarras en cuerdas gimen,
Dilacerando y deliciando,
Rasgando almas que las sombras oprimen.

CRUZ E SOUSA

Voces veladas, vaporosas voces,
Volupias de violines, veladas,
Vagan en viejos vórtices veloces
De los vientos, vanas, vulcanizadas.

NESTOR VÍTOR

Qué cielo, qué infierno, qué hondo infierno,
Qué oros, qué azules, lágrimas y risas,
Cuánto sentido sentimiento eterno
En esas músicas tan indecisas...

Virgílio Várzea

Qué ansias sexuales de monjas bonitas
En ciliciadas carnes tentadoras,
Vagando por entre celdas benditas,
En medio de ansias dilaceradoras.

Oscar Rosas

Qué marcha siniestra de calaveras,
De espectros, por las sombras muertas, mudas...
Qué montes de dolor, qué cordilleras
De agonía asperísima y aguda.

Tibúrcio de Freitas

Toda esa laberíntica neurosis
De vírgenes en romántico encanto;
Los ocasos de Amor, toda clorosis
Que les lacera los senos entretanto.

Cruz e Sousa (V.O.)

Todo eso, en un grotesco descompás,
En muecas de dolor y ayes de azotes,
Revive en guitarras, despierta y yace
Con luz de luna de las medianoches.

Secuencia XXV

Exterior. Día. Balcón.

Mirando hacia el mar a su frente, vemos a la ex novia Pedra Antióquia entonando pasajes del mismo canto de amor en yoruba de la Secuencia VI. En tono lloroso, ella se pone a recitar "Ilusiones Muertas".

PEDRA ANTIÓQUIA

Se van allende el mar mis amores,
Allende el mar se van amores míos,
Marchitos, marchitos, como estas flores
Sin dulce luz de aurora y sin rocío.

Y mis amores no vendrán ahora,
No agitarán sus alas de colores,
Como aves suaves – entre resplandores
De mi placer, de mi placer de otrora.

Todo emigró, rasgando el globo blanco
De las ilusiones, – todo en revuelo franco
Partió – dejando un bienestar añoso

En el fondo ideal de toda mi vida,
Como en una copa la indefinida
Gota de un licor añejo y sabroso.

"Gavita dice ¡que soy un fantasma que anda por la casa!"

Secuencia XXVI

Interior. Noche. Cuarto de Cruz e Sousa.

Intentando trabajar con la luz incierta de la vela, transpirando, tomando tragos de café, Cruz e Sousa, la cara amargada, con la barba crecida, trata de escribir una carta con mucha dificultad.

CRUZ E SOUSA

"Mi Nestor Vítor, no sé si llega realmente mi fin; – pero hoy por la mañana tuve un síncope tan largo que supuse que era la muerte. Sin embargo, todavía no perdí ni pierdo el coraje del todo. Hace 15 días tengo una fiebre loca debido, seguro, a la descompostura intestinal que me aqueja. Pero lo peor, viejo, es que estoy en una indigencia increíble, sin un peso para los remedios, para la leche, para nada, ¡para nada! ¡Un horror! Gavita dice ¡que soy un fantasma que anda por la casa!"

Secuencia XXVII

Interior. Día. Casa de Cruz e Sousa.

Vemos a Cruz e Sousa postrado en una cama, tosiendo mucho. Gavita, embarazada, está llena de desvelos, trayendo toallas, recogiendo libros y papeles del piso. Los hijos juegan. Recogiéndose en un rincón del cuarto, Gavita se pone a susurrar estrofas del poema "Anima Mea":

GAVITA

¡Oh, alma mía, alma mía, buen Abrigo,
Mi sol, mi dulce sombra peregrina,
Luz inmortal que el mundo ilumina
Del viejo Sueño, mi fiel Amigo!
....
¿De dónde viene esa esperanza vaga,
Y todo ese anhelo que me alaga,
Con tantos disgustos eternizados?

¡Ah! ¿De dónde viene toda esa esencia
De tanta misteriosa Transcendencia,
Que estos ojos me deja inundados?

Secuencia XXVIII

Interior. Noche. El mismo cuarto.

Cruz e Sousa es sorprendido en la cama por una extraña voz que viene de una pared fuertemente iluminada. Comienza a pasar los oídos por ella y se da cuenta de que es su propia voz. Oye estrofas del poema "Tuberculosa".

CRUZ E SOUSA (V.O.)

La enfermedad le gana, palmo a palmo,
Todo el cuerpo, como en un terreno…
Y con preludios místicos de salmo
Le cae la vida en ocaso sereno.

Jamás tendrá ella el color saludable
Para que la carne del cuerpo goce
Que lo que el cuerpo tuvo de inefable
Se cristalizó en tubercolosis.

Huye al mundo fatal, arbusto débil,
Monja amargada del extraño rito,
Oh trémula harpa sollozante, flébil,
Oh sollozante, flébil eucalipto.

Secuencia XXIX

Exterior. Atardecer. Dunas.

En su delirio Cruz e Sousa ve a la ex novia Pedra Antióquia, enteramente desnuda, corriendo sobre las dunas en su dirección. Mientras él la observa de pie, también enteramente desnudo, Pedra surge arrastrándose como una serpiente, provocándolo con sonrisas y miradas excitantes. La cámara busca traducir el delirio verbal que irrumpe en Cruz e Sousa (estrofas de los poemas "Rosa negra", "Boca", "Aspiración" y "Senos"). Sus palabras se alternan entre presentadas en sincronía o fuera de la escena, o simultáneamente como si fuera un coro de la misma voz. La cámara literalmente "se friega" en el cuerpo de Pedra Antióquia.

Cruz e Sousa (O.S.)

Flor de delirio, flor de la sangre hirviente
Que explota en sudor, caudalosamente,
De volupias de carne en los gemidos.

Rosa de tiniebla, Flor de la nada,
Dame esa boca acídula, rasgada,
¡Mejor que corazones prohibidos!
....
Boca ardiente, con perfume a lirio,
Del límpido frescor de la nevada,
Boca de pompa griega, purpureada,
De la majestad de un damasco asirio.

después contorna demoradamente los senos, las axilas…

....

Cruz e Sousa (O.S.)

Quisiera ser la sierpe sedosa
Para, enredándote desvestida,

Tomar los senos de tez olorosa
Y cubrirlos de baba y mordidas…

....

¡Oh! Senos de virgen, tálamos vivos
Donde de amor en éxtasis lascivos
Viejos faunos se adormecen soñando…

bajando hacia el ombligo y a un movimiento suyo, se detiene en las nalgas. Finalmente, a partir de un ángulo bajo en las piernas entreabiertas, junto a los muslos, la cámara se acerca – lentamente – al triángulo pubiano (que se transforma en un revoloteante yuyo) y sobre él se pone a rodar sin parar. Jadeante, Cruz e Sousa no para de describir poéticamente el paisaje de la pantalla. Se tiene la sensación de que alcanza el orgasmo.

CRUZ E SOUSA

… Y que tu vulva de terciopelo, ¡al fin!,
roja, encendida y centelleante como forja
en brasa, santuario sombrío de las
transfiguraciones, cámara mágica de las
metamorfosis, crisol original de las genitales
impurezas, fuente tenebrosa de los éxtasis,
de los tristes, espasmódicos suspiros y del
Tormento delirante de la Vida…

....

… que tu vulva, al fin, ¡vibre victoriosamente
al aire con las trompas marciales y triunfantes
de la apoteosis soberana de la Carne!

Secuencia XXX

Interior. Noche. Dormitorio.

Cruz e Sousa se encuentra en la cama despertando del sueño cuando oye acordes de violín. En el otro extremo del cuarto, surge en una especie de pedestal – la niña violinista Giuletta Dionesi. Mirándolo fijamente a los ojos, le toca una melodía, que él pronto reconoce y estalla en recuerdos, balbuceando estrofas de los poemas "Giuletta Dionesi" y "A Giuletta Dionesi".

CRUZ E SOUSA

¡Ah Giuletta!
¡Ah! Peregrina del país del sueño
Flor radiante de la región sonora
En tu suave corazón risueño
Triunfan los clarines de la aurora.
....
Para tu alma dulce y amorosa
Traje yo estas delicadas rosas.

Te traje rosas, divina añoranza,
para que te perfumen de esperanza.

Rosas que son toda mi alma encendida,
en tu musical violín prendida.

Rosas con que aplaudo tus grandes rastros,
porque no tengo pájaros ni astros.

Terminado el poema, la imagen de la niña se desvanece y volvemos a Cruz e Sousa, súbitamente, que retomando el brillo de los ojos, comienza a sacarse la ropa mientras recita el poema "Dilaceraciones":

¡Oh carnes que amé sangrientamente,
¡Oh volupias letales, dolorosas,
Esencias de heliotropos y de rosas
De esencia tibia, tropical, doliente…

Carnes vírgenes y tibias de Oriente
De Sueño y de Estrellas fabulosas,
Carnes acerbas y maravillosas,
Tentadoras del sol intensamente…

Pasen, dilaceradas por los celos,
A través de profundas pesadillas
Que me hieren de mortales horrores…

Pasen, pasen, deshechas en tormentos,
En lágrimas, en llantos, en lamentos,
En duelo, convulsiones y dolores…

Secuencia XXXI

Interior. Noche. Dormitorio.

Corte para los amigos de Cruz e Sousa, Virgílio Várzea, Oscar Rosas, Araújo Figueiredo, Maurício Jubim (dibujando a Cruz e Sousa) y Tibúrcio de Freitas, que alrededor de su lecho, "le toman" la palabra después de ser sorprendido por un violento ataque de tos, seguido de esputos de sangre. Todos se portan como si estuvieran dando una entrevista, mirando de frente a la cámara. Pasajes de cartas, enviadas y/o recibidas por Cruz e Sousa sirven como diálogo.

ARAÚJO FIGUEIREDO

"Lancinado, con el corazón sangrante
como un cuchillo virgen, paseé los ojos
tristes por tu carta. Creo religiosamente,
como siempre, en lo que en esta blanca
carta me dijiste, en lo que en esa carta
tu alma afectuosísima tan..."

NESTOR VÍTOR

...claramente fotografió. Es así, es así la
vida intelectual en este país de
canallas...

CRUZ E SOUSA

He de morirme pronto, ¡pero he de
dejar un nombre!

TIBÚRCIO DE FREITAS

Que mis brazos amigos te aprieten
fuerte junto a mi corazón, en el momento en que recibas estas líneas nostálgi-

cas. Pero te las escribo, querido hermano, con el alma dilacerada por la angustia, porque me veo morir de a poco...

OSCAR ROSAS

Ya ves, querido mío, que todo el mundo es así: en Santa Catarina, en Río de janeiro, en París, en Londres, en Berlín, en San Petersburgo, en Roma y Nueva York, etc, todo es lo mismo... el mérito siempre encuentra la infamia, la injuria, la envidia. (...)

CRUZ E SOUSA

He de morirme pronto, ¡pero dejaré un nombre!

VIRGÍLIO VÁRZEA

Esto aquí, a cada día, se torna más vulgar. Ni siquiera tengo de qué vivir. De repente me embarco sin destino, hacia todos los puntos del mundo, qué sé yo. ...Mi Cruz, estoy harto. Esta tierra....

ARAÚJO FIGUEIREDO

... está bajo mierda y su pueblo mucho más todavía. No sé en qué irá a dar eso. Adiós. Me abandono en tus brazos.

Corte para Cruz e Sousa en el fondo de la cama mirando de frente a los amigos en un tono casi inaudible:

No imaginan lo que ha estado pasando por mi ser, viendo la dificultad tremendísima, formidable que enfrenta la vida en Río de Janeiro. (...) Todas las puertas y atajos están cerrados al camino de la vida... He de morir pronto, pero he de dejar un nombre."

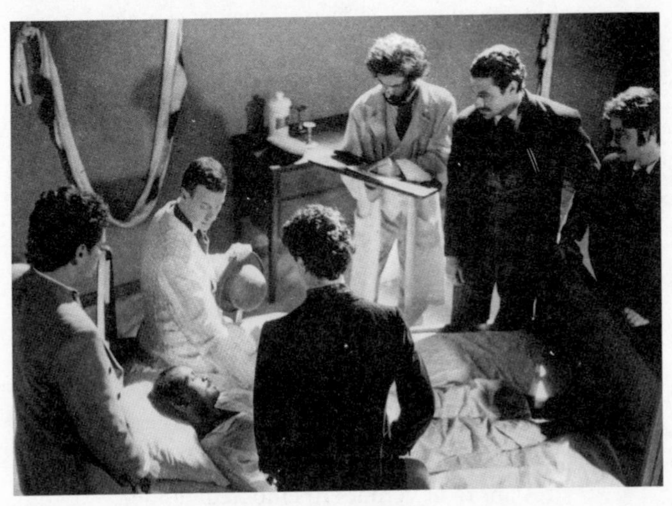

"He de morirme pronto, ¡pero dejaré un nombre!"

Secuencia XXXII

Interior. Día. Pozo.

Cruz e Sousa se halla hundido en un pozo, actúa como si estuviera preso, debatiéndose para salir. Mirando la cámara, hace candente balance existencial. Son pasajes de su poema en prosa "El emparedado".

CRUZ E SOUSA

> … Pero, ¿qué importa todo eso? ¿Cuál es el color de mi forma, de mi sentir? ¿Cuál es el color de la tempestad de dilaceraciones que me estremece? ¿Cuál es el color de mis sueños y mis gritos? ¿Cuál es el color de mis deseos y mi fiebre? Artista? ¡Locura! Puede ser esto si vienes de esa lejana región desoladora, que queda allá como en el fondo exótico de esa África ¡sugestiva, gimiente! ¡No! ¡No! ¡No! No transpondrás los pórticos milenares de la vasta edificación del Mundo, porque detrás de ti y delante de ti no sé cuantas generaciones, acumulando piedra sobre piedra, piedra sobre piedra, que por eso eres ahora el verdadero emparedado de una raza.
> ¡Si caminas hacia la derecha, te golpearás y chocarás ansioso, afligido, con una pared horrendamente incomensurable de Egoísmos y Prejuicios!
> ¡Si caminas hacia la izquierda, otra pared, la de Ciencias y Críticas, más alta

que la primera, te hundirá profundamente en el espanto!
Si caminas hacia delante, otra pared, hecha de Despechos e Impotencias, tremenda, de granito, broncamente ¡se elevará a lo alto! Si caminas, en fin, hacia atrás, ¡ah todavía, una postrer pared, cerrando todo, cerrando todo horriblemente! – pared de Imbecilidad e Ignorancia, te dejará en un frío espasmo de terror absoluto…
Y, más piedras, más piedras se sobrepondrán a las piedras ya acumuladas, más piedras, más piedras… Piedras de esas odiosas, caricatas fatigantes Civilizaciones y Sociedades… Más piedras, más piedras! Y las extrañas paredes han de subir – largas, negras, terríficas! Han de subir, subir, subir mudas, silenciosas, hasta las Estrellas, dejándote para siempre, perdidamente alucinado y emparedado dentro de tu Sueño….

Secuencia XXXIII

Exterior. Día. Estación.

Cruz e Sousa y Gavita (embarazada) se preparan para tomar el tren. Con ellos, despidiéndose su fiel amigo Nestor Vítor. Amparado por la mujer, es notable la debilidad del poeta, la decadencia de su ropa. Revolviendo todos los libros que publicó y vendría a publicar *post mortem*, Cruz e Sousa se los alcanza a Nestor Vítor, que comprende.

CRUZ E SOUSA

Mi dulce amigo, aqui está todo lo que logré
escribir... Es todo tuyo... Estoy sin fuerzas...

Mientras el tren se va alejando, con Nestor Vítor en el andén, se oyen las estrofas de los poemas "La Muerte" y "Pacto de Almas" (¡Para Siempre!)

NESTOR VÍTOR

¡Oh! Qué dulce tristeza y qué ternura
En el ojo de moribundos afligidos...
¡Qué áncoras profundas se procuran
Los que en la noche están perdidos!

Cruz e Sousa asomado a la ventana del tren parece estar oyendo al amigo recitándole sus propios versos premonitorios. E intercambiando una última mirada con él, le contesta "sin palabras".

CRUZ E SOUSA (V.O.)

¡Ah, para siempre! para siempre! Ahora
No nos separaremos ni un día...
Nunca más, jamás, en esta armonía
De nuestras almas de divina aurora.
La voz del cielo puede ser sonora

O el infierno siniestra sinfonía,
Que en el fondo de astral melancolía
Mi alma, con tu alma, ríe, goza y llora.

Nestor Vítor

¡Para siempre es hecho el augusto pacto!
Ciegos seremos del celeste tacto,
Del sueño en estrellada red,

Cruz e Sousa

Y sueltas, sueltas en el Infinito
Nuestras almas, en el Claro bendito,
Saciarán en fin toda su sed...

Nestor Vítor

Y sueltas, sueltas en el Infinito
Nuestras almas, en el Claro bendito,
Han en fin de saciar toda su sed...

Secuencia XXXIV

Exterior. Atardecer. Faro del mar.

Con lágrimas en la mirada perdida, mirando de frente la vastedad del océano, Cruz e Sousa dirigiéndose al horizonte del mar frente a él dramatiza versos del poema "Olvido". La sensación de soledad aumenta a medida que la cámara se aleja hasta encuadrar al personaje de lejos, desde el punto de vista de un helicóptero en vuelo circular sobre el faro.

CRUZ E SOUSA (V.O)

Río del largo olvido tenebroso,
Amargamente frío,
Amargamente triste, congojoso
¡Amargamente río!

¡Oh! Verso mío, verso mío, mi orgullo,
Mi tormento y mi vino,
Mi sagrada embriaguez y arrullo
De aves haciendo nido.

¡Oh! Verso mío, verso sollozante,
Mi secreto y mi guía,
Ten piedad de mí en el alto instante
De la alta agonía.

No te olvides de mí, mi verso insano,
Mi verso solitario,
Mi tierra, mi cielo, mi vasto océano,
Mi templo, mi sagrario.

Río del largo olvido tenebroso,
Amargamente frío,
Amargamente triste, congojoso
¡Amargamente río!

Secuencia XXXV

Exterior. Noche. Calle.

Desfile de la Escuela de Samba Copa Lord, de Florianópolis, cuyo tema es la vida y obra de Cruz e Sousa. En medio de las formaciones que evolucionan al son del *samba-enredo*, surge la figura de Cruz e Sousa, elegantemente vestido. Al final de la música, el actor "se desincorpora" del personaje con una sonrisa para la cámara. Es la celebración del poeta que, cien años después de su muerte, sigue vivo en el recuerdo del pueblo.

Coro

"Corazón, abre las puertas a la poesía
y viaja en las rimas de nuestro poeta mayor
vuela y revuela entre las estrellas de ternura
y enamórate
de ese mundo de emoción y fantasía.

Son bellezas eternas en verso y prosa
locura divina
secretos del alma
florecen en el pecho del artista
y desagua en las aguas
de extrema desventura
héroe moral de nuestra literatura

Luna, tu luz
encanta al amor
por Gavita bella negra flor
Viejo viento, guitarras que lloran, vesperal
sonata, cosecha de estrellas la resurrección
obras de un poeta iluminado
Cruz e Sousa eres luz de inspiración
astro nocturno, el destierro es tu hado

Ya viene la Copa Lord allí
feliz
bañando de cultura a mi
país
cantando en armonía su Carnaval
con su Negro Cisne universal."

FIN

Walter Carlos Costa, brasilero, estudió en la Universidad Católica de Leuven, Bélgica, donde escribió una tesis de maestría sobre Guimarães Rosa traducido al Francés. En la Universidad de Birmingham, Inglaterra, hizo su doctorado sobre las traducciones de Jorge Luis Borges al Inglés. Es profesor de literatura española e hispanoamericana en la Universidade Federal de Santa Catarina, en Brasil. Traduciones: *Paisagem com uma Vela e Abelhas Assírias/Landscape with one Candle and Assirian Bees* (1995), de Steven White; *Pleno Vôo* (1989), de Octavio Paz, con Cleber Teixeira; *Sobre livros e leitura* (1993), de Schopenhauer, con Philippe Humblé; *Breve Antologia* (1996), del poeta flamenco Paul van Ostayen, y ensayos sobre traducción de Emily Dickinson, Brecht, Rimbaud y Melville.

***Walter Carlos Costa**, brasileiro, estudou na Universidade Católica de Leuven, Bélgica, onde escreveu dissertação sobre Guimarães Rosa traduzido ao francês. Na Universidade de Birminghan, Inglaterra, doutorado sobre as traduções de Borges em inglês. É professor de literatura espanhola e hispano-americana na Universidade Federal de Santa Catarina. Traduções:* Paisagem com uma Vela e Abelhas Assírias/Landscape with one Candle and Assirian bees *(1995), de Steven White;* Pleno Vôo *(1989), de Octavio Paz, com Cleber Teixeira;* Sobre livros e leitura *(1993), de Schopenhauer, com Philippe Humblé,* Breve antologia *(1996), do poeta flamenco Paul van Ostayen, e ensaios de tradução sobre Emily Dickinson, Brecht, Rimbaud e Melville.*

CRUZ E SOUSA

LE POÈTE BANNI

Scénario de Sylvio Back

Collaboration de Rodrigo de Haro

*Traduction de Leonor Scliar-Cabral
et Marie-Hélène Catherine Torres*

Prologue

Intérieur. Jour/Nuit. Wagon de marchandises.

Wagon de transport de bétails, ouvert. Train en mouvement. Le paysage défile rapidement derrière la silhouette de CRUZ E SOUSA (un noir de fière allure de 36 ans), chaussé, en redingote râpée, qui gît inerte sur le foin sec et la sciure, la tête inclinée sur les genoux enceints de sa femme GAVITA (une belle noire de 30 ans), totalement éperdue, pleurant. Cruz e Sousa, du sang brillant aux lèvres, a les yeux hagards fixant le néant. Gavita, d' un geste mécanique tente inlassablement d' ajuster la redingote et la cravate inexistante, lui coiffe les cheveux avec les doigts, tripote nerveuse ses bras et arrange les mains. Le cadavre est celui d' un homme maltraité, épuisé. La scène, parfois envahie par la fumée du train, est pathétique de par la solitude et le côté insolite de la situation . On a la nette impression que Cruz e Sousa n' est, en vérité, pas mort. Une lumière glacée, comme issue de la lune, commence à baigner le poète et sa femme, et finit par assumer la place de l' horizon. Des personnages qui apparaîtront au cours du film, ayant derrière eux des chevaux, assistent à cette veillée mortuaire improvisée : les jeunes actrices, les trois blanches, JULIETA DOS SANTOS (12 ans) et GEMMA CUNEBERTI (10 ans), la jeune violoniste GIULETTA DIONESI (12 ans) qui joue de son instrument, la mariée-donzelle PEDRA ANTIÓQUIA (une noire fluette de 17 ans), les vieux parents GUILHERME et CAROLINA (ex-esclaves, tous deux ayant plus de 70 ans), les amis et écrivains, tous blancs, NESTOR VÍTOR, ARAÚJO FIGUEIREDO, OSCAR ROSAS, MAURÍCIO JUBIM (qui apparaît en train de dessiner le visage mourant de Cruz e Sousa), VIRGÍLIO VÁRZEA et TIBÚRCIO DE FREITAS (tous dans les 30/35 ans). Se superposant à la scène, des extraits choisis du poème " Antiphone ", la plupart *Off Screen* (O.S. – l' acteur est en scène mais non focalisé par la caméra), quelques strophes sont parfois balbutiées par le " mort " et répétées par l' un ou l' autre des personnages, ensuite en chœur, par ceux qui sont présents.

Cruz e Sousa

O Formes blanches, immaculées, lunaires,
Formes des neiges, des brouillards, des soirs !
Des autels de l' encens en encensoir ...
O Formes vagues, fluides, Formes claires ...

Chœur (O.S.)

Formes de l' Amour, constellairement pures,
De Vierges et des évanescentes Saintes ...
En fraîcheurs humides, brillantes allures
Et dolences de roses et de jacinthes ...

Cruz e Sousa

Originales forces, essence, grâce
De chairs de femmes, délicates, aimant ...
Tout cet effluve qui par les vagues passe
De l' Ether dans les rosées d' or courant

Nestor Vítor

Des fleurs noires de l' ennui et vagues fleurs

Araújo Figueiredo

Des amours malades, tantaliques, ballants

Oscar Rosas

Le rouge des vieilles plaies en profondeur

Virgílio Várzea

Ensanglantées, ouverts, à flots coulant ...

Chœur (O.S.)

Tout ! Vivant et nerveux et chaud et fort,
Dans les tourbillons chimériques du Rêve,
Passe, en chantant, par le profil sans trêve
Et la troupe cabalistique de la Mort ...

GÉNÉRIQUE

Séquence II

Intérieur. Nuit. Lieu de célébration du candomblé.

Surgit l' acteur qui interprète Cruz e Sousa devant le miroir d' une loge, se préparant pour entrer en scène. Il s' entraîne à déclamer les vers, les répétant, du poème qu' il dira bientôt. Dans le reflet du miroir, la lueur du lieu de célébration du candomblé. Entouré de fils de saints (hommes et femmes parés), Cruz e Sousa, en pantalon et chemise blancs, le corps éclaboussé de sang, est soumis à une session de passes (mouvements avec les mains). Tambours, *atabaques*, encens, bougies, fleurs – l' endroit est en terre battue, d' une évidente pauvreté. Assis en face du *babalorixá* (le père de saint), Cruz e Sousa accompagne les coquillages qui sont jetés pour lui. Il n' y a pas de public présent. Mais le climat est à la communion. Cruz e Sousa semble entrer en transe. L' idée est celle de l' acteur à la recherche du personnage. On entend des strophes du poème " Le Marqué ", suivies de paroles du babalorixa :

CRUZ E SOUSA

Le fou de la folie la plus suprême,
Toi, le fou de la folie immortelle.
La Terre sera toujours ton noir boulet,
Prends-toi à elle, Mésaventure extrême.

Toi, tu es le poète, le grand Marqué
Qui prête à notre monde si dépeuplé,
Peu à peu, des beautés éternelles.

Dans la nature prodigieuse et riche
Toute l' audace des nerfs qui affiche
Tes spasmes de fou, folie immortelle !

> " João, mon fils, le *babalaô* a dit par la bouche d' Ifá (devin), qu' aucune souffrance dans cette vie n' est vaine. Aucune larme ne se perd. La vie humaine, João, est à peine une préparation à la vraie vie. Il n' y a de larmes que Dieu ne saurait voir, João. Qui ne verse pas sa larme secrète ? Dieu les garde pour toute l' éternité. Ainsi, João, tu tireras de la douleur et de la souffrance la richesse et la grandeur de tes poèmes. Que les divinités du candomblé, João, te donnent les forces pour les épreuves et pour ton chemin dans cette vie. Que toutes les forces bénéfiques te bénissent, mon fils. Et que le dieu Olorum te donne paix et tranquillité sur tes chemins. Axé ".

Sur les images de l' acteur en transe, surgit par écrit sur l' écran, cette petite ébauche biographique du personnage.

Texte

> Fils d' esclaves affranchis, João da Cruz est né en 1861, dans la ville de Nossa Senhora do Desterro, actuelle Florianópolis, dans l' Etat de Santa Catarina, au Brésil.
>
> Elevé par la famille du maître de ses parents, il reçoit éducation et culture aux modes européens. Depuis l' adolescence, il affronte le préjugé racial dans l' île de Santa Catarina, qui ne reconnaît en lui ni l' éclat personnel ni le talent d' écrivain et de poète.
>
> A 29 ans, après avoir parcouru le Brésil comme souffleur de la compagnie théâtrale de Julieta dos

Santos, il participe aux campagnes abolitionnistes. A la même période, il rompt avec sa fiancée de longue date, Pedra Antióquia et s' installe à Rio de Janeiro pour fuir son amer destin.

Il épouse Gavita Rosa Gonçalves, mère de ses quatre enfants, et dont la folie temporaire, en 1886, marque profondément la vie et l' art du poète.

En 1893, il publie les livres *Missal* (Missel) et *Broquéis* (Targes), le second, recueil de poèmes, étant la pierre fondamentale du Symbolisme brésilien.

Au lieu de la gloire, s' élève la ségrégation raciale et sociale, ainsi que l' envie du pouvoir littéraire de l' époque.

Miséreux et tuberculeux, il recherche la guérison dans la station de Sítio, dans l' Etat de Minas Gerais, où il finit par mourir le 19 mars 1898 à l' âge de 36 ans.

En faisant ses adieux à son ami et poète Nestor Vítor, il lui remet les originaux des livres *Evocations* (Evocações), *Phares* (Faróis) et *Derniers Sonnets* (Últimos Sonetos) – publications posthumes.

Le corps de Cruz e Sousa retourne à Rio de Janeiro dans un wagon de transport de bétail.

L'actrice Julieta dos Santos (Carol Xavier).

Séquence III

Intérieur. Nuit. Théâtre.

Nous voyons Cruz e Sousa dans le trou du souffleur d' une scène de théâtre. Le public n' apparaît pas, l' on entend à peine un brouhaha. En scène une fillette " artistiquement " dépenaillée, des fers brisés aux poignets et aux chevilles, dans les mains un oiseau noir empaillé, récite le poème " Le Merle ", de Guerra Junqueiro. C' est JULIETA DOS SANTOS, une actrice précoce qui depuis des mois perturbe le jeune Cruz e Sousa. Pendant qu' elle parle, le poète remue à peine les lèvres, comme s' il se récitait le poème.

JULIETA DOS SANTOS

" Tant de mal, tant d' amour, tant de câlins,
Tant de nuits infâmes
Je ne sais même pas ...
Tout, tout cela en vain !

Enfants de toute mon âme
Enfants de mon chagrin ! ! ! ...
Ne suffirait ni la nature entière,
Ni le ciel suffirait pour votre marche,
Et ils vous prennent ainsi de cette manière ! ...
Les lâches !

....

La lumière, lumière, attitude malsaine,
Vois l' aiguillon, la foi qui nous décèle ...
Emprisonner les ailes
C' est emprisonner la pensée humaine.

....

Je manque de lumière, d' air ! ... Je voulais être
Rapace ou être bête
Pour briser ce maudit enfermement !
Et comme la nuit est limpide et gracieuse !
Ni cris, ni hurlements ...
Quelle nuit triste ! oh nuit silencieuse ! ... "

Tandis que Julieta dispense son aide dans les dialogues, Cruz e Sousa semble la déshabiller des yeux. La caméra examine minutieusement le corps, les gestes et se fixe sur les lèvres, sur les talons des pieds, dans les plis de la taille à demi-couverte de Julieta, qui innocemment flirte avec son admirateur. Cruz e Sousa ne parvient pas à cacher sa fascination et lui adresse des strophes de sonnets (sans titre) qu' il lui dédie et des strophes du poème " Julieta dos Santos ".

CRUZ E SOUSA

Très délicate, suave et vaporeuse,
La grande actrice, singulière créature ...
Belle et blanche comme la neige pure ...
Débile, fragile, divinale, nerveuse ...

Ce formidable buste, ton précieux cœur
Bien façonné
Et buriné.

Dès que tu apparais, tout rit et pleure,
Déifié, s' agite,
Presque palpite.

Julieta dos Santos tient maintenant une bible entre les mains qu' elle lance, à la fin de la strophe qu' elle déclame, vers le public qui assiste au spectacle.

JULIETA DOS SANTOS

" O mes enfants, l' existence est belle
Si elle est libre. La liberté est loi,
Notre âme vole, mais l' on peut couper les ailes ...
Enfants, volons, au ciel de bon aloi ! ... "
Plus de foi, vérité,
Plus de Dieu dans de purs
Chardons secs d' une roche nue et pitoyable
Que dans cette bible ancienne ... O belle nature,
Tu es vraiment l' unique bible véritable ! ... "

Comme elle avait terminé, surgit devant elle Cruz e Sousa, qui lui fait une franche déclaration de passion, la rendant encore plus coquette.

CRUZ E SOUSA

Quand tu apparais, tout reste impassible
Et muet et paisible, tremblant, glacé ! ...
On veut rester tout attentif, figé,
On veut parler même quand c' est impossible ! ...

Et dans la nature immense tout s' est tu
Des champs en geôle

Toutes les lucioles
Jusqu' au ciel et ce sommet colossal ! ...
Et même moi, Julieta, je me suis tu
En délirant
Moi, vacillant,
Je tomberai à tes pieds, vil vassal !!!

Séquence IV

Extérieur. Nuit. Plage.

Au bord de la mer, Julieta dos Santos, installée sur un brancard de procession, est portée par un petit cortège d' admirateurs, certains brandissant des torches ; parmi eux, Virgílio Várzea, Araújo Figuereido et Oscar Rosas. Le féerique cortège court sur la plage de l' île du Desterro comme un ballet. Marchant aux côtés de Julieta, Cruz e Sousa lui adresse les vers du poème " Aspiration ", qu' elle rétribue par des sourires charmés :

CRUZ E SOUSA

Tu es l' étoile et moi, l' insecte triste !
Tu vis dans l' Azur, aux cimes des sphères,
Au centre des printemps souriants et clairs,
Où l' amour éternel sûrement existe.

Même légèrement la gloire vaine ne m' assiste
Pour hisser le vol aux glorieuses chimères
Où tu trônes, de ton idéale lumière
En splendeur à laquelle nul ne résiste.

Quand toi tu brilleras dans les hauteurs
Moi, j' errerai dans les denses épaisseurs,
De la terre sur le rigide béton.

Tu tentes de me bercer par ta lueur !
Comment volerais-je, si, goûtant l' ardeur,
Je suis si petit et brille au ciel ton nom ?

Séquence V

Extérieur. Crépuscule/Nuit. Plage.

Entouré par un couloir constitué d' une dizaine de petits châteaux de sable sophistiqués, nous voyons Cruz e Sousa (en redingote, cravate, gilet, chaussures) étendu de tout son long au bord de la mer sur une plage déserte.
Etrangement, Cruz e Sousa a les yeux fermés comme s' il était aveugle. Au bout des châteaux, observant la scène du dessus avec un regard séducteur, UNE FEMME A DEMI-NUE, blanche et rousse (dans les 20/25 ans) semble être le but de Cruz e Sousa. D' un air désolé, il essaie de bouger tel un crabe entre l' étrange architecture qui se dresse devant lui. A mesure qu' il agite, avec les bras, les mains, les jambes et les pieds, il détruit les fragiles constructions de sable. L' on entend les strophes du poème " Regina Coeli ", " Pavot " et " Alda ".

CRUZ E SOUSA

Etoile d' autels. O Vierge des Vierges claires,
O Rose exquise des Rosiers polaires !

Blanche, de l' aurore des amphores sacrées
Et des camélias neigeux et regelés.

Sans pâmoison des blancheurs soyeuses
Et lune de lin en nimbe-veilleuse.

En blonde tu es plus charmante
Que si tu étais brune :
Corps d' effluve de rose amante
Fluide silhouette de l' écume

De ton éventail blanc
Comme l' aile des échassiers,
J' aspire un parfum semblant,
A ton âme non dispersée.

Aurore, de l' aurore des gelées limpides,
De cette candeur d' arômes qui distille ...
Tu sembles marcher en niche et cloche subtiles
De Vierges médiévales, nonnes impavides.

Coupure vers Cruz e Sousa languissant et dénudé, allongé sur le sable de la plage. Sur lui se penche langoureusement la femme rousse et blanche de la scène antérieure. Elle se met à le caresser tout en lui disant le poème " Afra ", qu' il récite en duo en voix *Off Screen*.

FEMME A DEMI-NUE

Tu renais des mystères, luxure, répit,
Afra, tentée par les fruits édéniques,
Entre les sylphes et les gnomes magnétiques
Merveilleux de la passion pourpre, impie

Chair explosive en poudres et en furie
Des désirs païens en signes mimétiques
De virginité – de rires en mimiques
Envers la chair devenue incurie.

Cruz e Sousa et la muse (Jaqueline Valdívia).

Tôt destinée à l' abandon lubrique,
A la langueur morbide et onirique,
En jouissance humant les venimeux sucs.

Je te rêve déesse des lascives pompes,
Toi qui proclames intrépide par des trompes,
Amoures plus stériles que celles des eunuques !

Séquence VI

Intérieur/Extérieur. Jour. Maison.

Penchée à la fenêtre (dans le fond l' on n' aperçoit que des ombres qui bougent dans la maison), on voit PEDRA ANTIÓQUIA, une jeune femme noire, belle et sensuelle, donnant la main à Cruz e Sousa, qui se trouve dans la rue. Ils s' embrassent furtivement. Pour répondre à ses sourires, Cruz e Sousa lui murmure le poème " Fleur de la Mer " :

CRUZ E SOUSA

Tu es née de la mer, viens du secret,
Mer étrange, mousseuse, à la toile posant
Son filet de rêves au navire passant,
Et le laisse balancer, en corde ancrée.

Tu as de la mer la douceur nacrée
Des dormances nerveuses, du terrifiant
Et sinistre et sombre aspect agitant,
Les grandes vagues noires d' aspect tourmenté.

Sur fond idéal de roses lumineuses
Tu surgis des eaux mucilagineuses
Comme la lune dans les brumes des espaces ...

Et dans ta chair, l' efflorescence magique
Des vignes. Aube marine, vierges musiques,
D' âcres arômes des algues et des sargasses ...

Quand Cruz e Sousa essaie de l' embrasser, Pedra Antióquia se met à lui chanter en ioruba, à l' oreille la " Chanson des Amants ".

PEDRA ANTIÓQUIA

Si vous voulez être ma bien-aimée
Demandez-le d' abord à votre tête

Si vous désirez un hyménée
Demandez-le d' abord à votre tête

Si vous voulez avoir de l' argent
Demandez-le d' abord à votre tête

Si vous désirez bâtir une maison
Demandez-le d' abord à votre tête

Si vous voulez être heureux
Demandez-le d' abord à votre tête

Oh ! tête ! Tête fais que de bonnes choses
m' adviennent !
A vos côtés je suis votre bien-être, suppliant
Me faisant sentir bien avec la chance
Ma chance est mon cher époux ! ...

Séquence VII

Extérieur/Intérieur. Nuit. Jardin/Maison.

Aux abords d' une villa, attiré par le son d' une musique, Cruz e Sousa espionne par la fenêtre une fillette qui joue au piano, avec à ses côtés sa mère, aussi blanche et belle qu' elle. Il s' agit de la pianiste GEMMA CUNIBERTI, une autre passion adolescente et secrète du poète. Comme si la caméra interprétait son désir, nous voyons la fillette à travers ses yeux. Craignant d' être surpris, il n' ose pas s' approcher. Transporté, Cruz e Sousa ferme les yeux. On entend le poème " Magnolias des Tropiques " en *Voice Off* (V.O. – la voix *off* du personnage – monologue intérieur).

CRUZ E SOUSA (V.O.)

Tes bras païens de vierges courbes et fines
sont les plus fleuris, immaculés autels,
d' où sont distillés des airs éternels,
viatiques d' amour et de prières diamantines.

Entrouvre alors pour moi tes soyeuses mains
de vers promenés par les limpides chemins,
où règnent fraîcheur et ombre, murmures et passion ;

Viens ! ton baiser à ma bouche vole palpitant,
sous le doux ravissement d' un oiseau chantant,
donne-moi d' un baiser aimant l' extrême-onction.

Séquence VIII

Extérieur. Jour. Poursuite du Taureau.

Fragments de films d' archives et photos, de plusieurs années, montrant la " Poursuite du Taureau " dans l' Etat de Santa Catarina. Les images du taureau poursuivi et maltraité servent tant de métaphore de la propre vie du poète et des noirs, esclaves puis libres, que d' engagement dans les luttes abolitionnistes. Interprétées par Cruz e Sousa, l' on entend en *off*, des strophes du poème " Esclavagistes ". Sur la bande sonore, claquements de fouet et cris de douleur, pleurs d' enfants et de femmes.

CRUZ E SOUSA (V.O.)

Esclavagistes !

Transfuges du bien qui sous la royale tunique
Astucieux, accroupis – comme un crocodile,
Vous vivez sensuellement en " clarté " bénéfique
Dans la pose bestiale d' une tortue d' eau tranquille.

Esclavagistes !

Je me moque de vous, et moi, en vous fléchant
Ardemment du regard – je forme une vergette
De mille rayons solaires, la haine des poètes,
Je vous darde à l' épine – quand le grand moment
Moment gigantesque, immense, éclatant
De la blanche conscience – tabernacle rutilant
Au creux de mon oreille – n' ose pas retentir.

Esclavagistes !

Je veux en rude vers adamastorique*,
Rouge, colossal, en fracas gongorique,
Bestialement vous châtrer – vous entendre rugir !
Bestialement vous châtrer – vous entendre rugir !
Bestialement vous châtrer – vous entendre rugir !

---

* Adamastor, cité par Luis de Camões dans *Os Lusíadas* (Les Lousíades), est le géant qui protégeait le Cap des Tourmentes (actuel Cap de Bonne Espérance). Il essaya d' éviter que Vasco da Gama ne le dépasse.

Séquence IX

Intérieur. Jour/Nuit. Fond infini.

La scène se focalise, par un rapprochement de la caméra, sur Cruz e Sousa et sur son ami Virgílio Várzea, dans les yeux duquel se reflète une espèce de feu follet. Tous deux dramatisent le texte d' une lettre, tout comme si Virgílio Várzea devinait les paroles de Cruz e Sousa.

CRUZ E SOUSA

" Adoré Virgílio, je suis dans une marée
d' ennui et mentalement fatigué ...

VIRGÍLIO VÁRZEA

Fatigué de tout, d' attendre sans fin les
accès à la vie, qui n' arrivent jamais. Je suis
fatalement condamné à la misère et à la
sordidité ...

CRUZ E SOUSA

Il n' y a nulle part où aller. Toutes les
portes et raccourcis fermés au chemin
de la vie, et, pour moi, pauvre artiste
arien, oui arien, car j' ai acquis par
adoption systématique, les hautes qualités
de cette grande race ...

VIRGÍLIO VÁRZEA

... pour moi, qui rêve du clair
de lune de la grâce et de l' illusion, je vis
tout méprisément, diaboliquement,
d' un ton grotesque d' opéra bouffe.

Qui m' a demandé de venir ici-bas arracher
à la terre le pavement de la vie ? Chercher à être
un élément au sein de l' esprit humain ?
Pourquoi ? Un triste nègre, haï par
les castes cultes, frappé par la société, mais
toujours frappé, chassé de tout lit,
rebuté de tout foyer comme un lépreux
sinistre ! Mais comment ! Etre artiste avec cette
couleur ! "

Le poème achevé, la caméra révèle que ce qui ressemblait à un feu follet sont des bandes de films qui brûlent.

Séquence X

Intérieur. Jour. Bureau d' un journal/Académie.

Dans le bureau d' un journal, l' on voit dans le fond des paysages agrandis de cartes postales de Rio de Janeiro (au début des années 1890), des caractères forment manuellement des mots, les types graphiques de l' image en direct se transforment en titres de journaux d' époque. Dans l' un des gros titres, on lit " Les fondateurs de l' Académie Brésilienne de Lettres opposent leur veto à l' entrée de Cruz e Sousa ". Et dans le texte " Même un écrivain inédit intègre la toute nouvelle Académie de Lettres ". Sous le regard farouche et sarcastique de Cruz e Sousa, ses fidèles amis Nestor Vítor, Oscar Rosas, Araújo Figueiredo, Virgílio Várzea enchaînent un triolet (vers ironiques, très populaires à l' époque). Se donnant le bras ou seuls, tous individuellement ou en chœur s' adressent directement à la caméra. Entrecoupant la pantomime, un buste en hermès de Machado de Assis, avec une avalanche de poudre de riz lui tombant sur la tête.

VIRGÍLIO VÁRZEA

Machado de Assis, assez,
Machado de assez, Assis ;

ARAÚJO FIGUEIREDO

Zèbre écrit en couleur grise,
Ta plume dessine " so, so, sé ".

NESTOR VÍTOR

Pour " Borba "* il le méprise
Avec " Gil Blás "**, c' est assez,

* *Quincas Borba* est le titre de l' un des romans de Machado de Assis, publié en 1891;

** Alain René Le Sage (1668-1747), auteur français du roman picaresque *Gil Blás*.

Virgílio Várzea

Sur d' autres auteurs, la main mise
Ne dit que des banalités,

Oscar Rosas

Lanterne sans feu devient banquise,
Mauvaise mine de freluquet,

Nestor Vítor

Machado de Assis, assez,
Machado de assez, Assis.

Séquence XI

Intérieur. Jour. Salon.

Dans un salon, Nestor Vítor lit pour Virgílio Várzea qui, avec Oscar Rosas, Araújo Figueiredo, Tibúrcio de Freitas et Maurício Jubim, alterne les strophes d' un poème publié dans la presse qui attaque Cruz e Sousa. Au fur et à mesure qu' ils entendent les vers, ils se sentent offensés pour leur ami qui, au début, semblait absent, mais peu à peu la caméra le surprend affligé dans un coin de la salle.

NESTOR VÍTOR

Veuillez très chers amis, écouter ce sonnet
avec le nom de notre Cruz inverti
publié aujourd' hui dans " Gazeta de Notícias "
ironisant jusqu' à son vocabulaire ...
Pourquoi tant de jalousie et d' humiliation ?

Après avoir senti la réaction de ceux qui sont présents, Nestor Vítor se met à lire le poème, en insistant sur son titre qui est " Sur la côte d' Afrique " :

"Doré, bizarre, fauve, vif et scintillant,
L' épopée des roulements radieux,
Surgit le matin des airs mystérieux
Du Levant irisé et s' empourprant ...

VIRGÍLIO VÁZEA

Rires du soleil, – le Dieu séduit, charmant,
Cristaux se polissant, éclats en feu,
En communion, le rouge somptueux
De l' Afrique rude, barbare et s' éloignant.

Oscar Rosas

Et survenait alors, en serpentant,
En une danse macabre le groupe ardent
Vêtu de pagnes, des p' tits hommes noirs riant ...

Araújo Figueiredo

Fête convulsive, envahie d' Allégresse,
Fandangos, Bonzes – tout rayonnant sans cesse ;
Missels, Targes, Babioles et Turbans ... "

Séquence XII

Intérieur. Nuit. Carte postale.

Coupure. Cruz e Sousa face à une carte postale gigantesque où l' on voit le visage d' un africain qui rit. Il dramatise le poème " Haine Sacrée " :

CRUZ E SOUSA

O ma haine, ma haine, don majestueux,
Mon don divin et pur et protecteur,
Oins-moi le front d' un baiser donateur,
O rends-moi humble et rends-moi orgueilleux.

"Ma haine saine, bonne haine ! sois mon bouclier..."

Humble, avec les êtres humbles généreux,
Avec les sans Désir, moi, l' assureur,
Sans lumière du soleil fécondateur,
Câlin, moi, sans bonté, sans Foi, oiseux.

O ma haine, ô mon labarum béni,
De mon âme agitée dans l' infini,
Au sein de tous les labarums sacrés.

Ma haine saine, bonne haine ! sois mon bouclier
Contre les vilains d' Amour pour tout décrier,
Depuis les sept tours des mortels Péchés !

Séquences XIII

Intérieur. Jour. Chapelle.

Dans une pose solennelle, évitant le regard de la caméra et reproduisant la photo classique de Cruz e Sousa, surgit élégamment vêtu l' acteur qui interprète le poète, portant une couronne de lauriers sur la tête. Au pied du cadre brûlent des bougies sur le simulacre d' un petit autel où l' on voit les livres posthumes *Evocações* (Evocations), *Faróis* (Phares), et *Últimos Sonetos* (Derniers Sonnets) empilés près des branches de fleurs champêtres. La cire, au fur et à mesure qu' elle coule, fond sur plusieurs dos nus, noirs et blancs, qui se remuent en un ballet formant des vers des poèmes ainsi que l' autographe de Cruz e Sousa. A cela, on superpose les strophes du poème " Incarnation " dites par Cruz e Sousa, qui assume l' écran tout entier.

CRUZ E SOUSA

Charnels, soyez charnels tant de pulsions
Charnels, soyez charnels tant de désirs,
Palpitations, tremblements, élixirs,
Et tant d' arpèges de harpes de l' émotion ...

Soyez charnels tous les rêves brumeux
D' étranges chemins d' étoiles vaporeux,
Où les Visions de l' amour dorment gelées ...

Palpitations, désirs et attirances
Révélez entre clartés et fragrances,
L' incarnation des livides Bien-Aimées !

Séquence XIV

Extérieur. Crépuscule. Rio de Janeiro.

Cruz e Sousa et GAVITA sortent d' une église des environs de Rio de Janeiro, se comportant comme deux amoureux. Ils se parlent à voix basse. Cruz e Sousa parle (textes extraits de lettres du poète) méditant sous le regard tantôt admiratif tantôt perdu de Gavita. A d' autres moments, ils se regardent fixement tous les deux, muets, amoureux.

CRUZ E SOUSA

Quand je suis à tes côtés, Gavita,
j' oublie tout, tout, des ingratitudes,
des méchancetés et je ne sens que tes
yeux qui me font mourir de plaisir (...)

GAVITA

A chaque heure sonnante toutes mes
pensées volent là où tu es, je te vois toujours,
toujours et jamais je ne t' oublie
partout, partout où je suis. Tu es ma
préoccupation constante, mon désir
le plus fort, la joie suprême de mon coeur.

CRUZ E SOUSA

Tu sais combien je t' aime, combien je te
veux du plus profond de mon sang par-
dessus toutes les femmes de ce monde.
Je suis toujours heureux, content, rempli
d' orgueil, combien je te puis dire que je
suis et serai toujours tien, que je me dois
de t' aimer jusqu' à la mort, te couvrant des
caresses, des amabilités, des extrêmes, des

distinctions qu' à toi seule je veux donner, idolâtrée Gavita, adorable créature de mes rêves, de mes soins et de mes pensées.

Séquence XV

Intérieur. Jour. Chambre.

Coupure. Gavita, allongée à demi-nue sur un lit blanc nuptial avec de riches décorations florales. Une tache discrète de sang faite de cire colore aussi la scène. Vraiment ravie, elle balbutie les mots d' une lettre que Cruz e Sousa lui a adressée.

GAVITA

Je t' aime, je t' aime à la folie, de tout
mon sang, de tout mon corps, de tout
mon orgueil et mon désir puissant
est celui de m' unir à toi, de vivre dans
tes bras, protégé par ta pure bonté,
par tes grâces que j' adore,
par tes yeux que j' embrasse.

Séquence XVI

Intérieur. Nuit. Chambre.

Coupure et retour à la scène antérieure du lit nuptial, à présent à peine illuminé par de longues bougies, ce qui prête au tableau une once visible de romantisme. Gavita, entourant Cruz e Sousa de ses bras, dit en murmurant le poème “ Grand Amour ”. Dans les deux dernières strophes, Cruz e Sousa le récite en chœur avec elle.

GAVITA

Grand amour, grand amour, si mystérieux
Qui nos deux âmes toutes tremblantes enlace ...
Ciel qui nous caresse, ciel qui nous embrasse
Dans un abîme clair, profond, sérieux.

Eternel spasme d' un désir vaporeux
Comme en un baume des baumes de la grâce,
Flamme secrète qui dans les âmes passe
Et laisse sur elles l' air des astres lumineux.

GAVITA/CRUZ E SOUSA

Cantique des anges et des archanges solubles
Par-dessus les eaux de lacs somnambules,
Sous les étoiles radieuses, dispersé ...

D' un sceau perpétuel, pur et pèlerin
Capturant les âmes d' un égal destin,
D' un gémissement fécondant un baiser.

Séquence XVII

Intérieur. Aurore. Même Chambre.

Cruz e Sousa réveille Gavita en lui parlant doucement à l' oreille. Tandis que ses paroles fluent en cadence, Gavita ouvre les yeux, sourit et l' étreint avec tendresse.

CRUZ E SOUSA

Toi seule es la Reine de mon amour,
toi seule mérite mes baisers et mes
étreintes (...). Toi seule mérite que
je t' aime tant, comme je t' aime, tant,
tant, tant et chaque fois plus, plus
fermement, toujours fidèle, toujours ton
esclave bon et redevant, faisant de toi
mon étoile, mon épouse sainte, mon
adorable compagne de mes jours ...

"Le monde pour toi fut funeste et si dur."

Séquence XVIII

Extérieur. Jour. Cimetière scénographique.

Assis sur une tombe ornée d' arabesques et de figures nettement d' inspiration symboliste, avec en fond un tableau peint qui situe la scène aux alentours d' une église, Cruz e Sousa médite. Visiblement déprimé, sur un ton exclamatoire, il dramatise les vers du poème " Vie Obscure ".

CRUZ E SOUSA

Personne n' a pu sentir ton spasme obscur,
Parmi les humbles, le plus humble inscrit,
Enivré de plaisirs noirs, étourdi,
Le monde pour toi fut funeste et si dur.

Tu as traversé silencieusement sûr
Aux tragiques devoirs, prison en vie.
Au savoir des grands savoirs tu fus conduit
Devenant un être plus simple et plus pur.

Personne n' a vu ton sentiment inquiet,
Blessé, occulte et terrifié, secret,
Que ton coeur t' a poignardé dans le monde.

Mais moi qui ai toujours suivi tes pas
Je sais comment sont crucifiés tes bras
Et comme tes plaintes furent profondes !

Séquence XIX

Extérieur. Jour. Salle.

Le cadavre vêtu de blanc, du vieux père Guilherme, se trouve étendu sur un lit grossier couvert par un drap blanc. Au chevet du lit, sa femme, Carolina, emmaillotée comme une momie (elle est déjà morte). L' endroit est vide. L' unique lumière vient de quelques bougies allumées. Extraits de la prose poétique " Ouvrant des Cercueils " (Carolina et Guilherme) sont murmurés par Cruz e Sousa et Carolina.

CRUZ E SOUSA

Oui ! Créature des Anges que, cependant,
l' Enfer a possédée et qu' il a fini par
étrangler ! Cœur sanglant ! Etre de
mon être ! Les autres êtres (...) jamais
ne sauront, mélancoliquement non, jamais,
quelle hostie sanguinolente et âpre
ils te donnèrent pour communier dans la Vie ...

Assumant la voix de Cruz e Sousa, avec les larmes lui coulant sur le visage, Carolina continue à dire le poème en prose.

CAROLINA

... quel pain ténébreux de Pâques de
larmes ils te donnèrent à dévorer, quel
calice de vin létal, hallucinant, tiré
du fiel des plaies et des gangrènes
ils te présentèrent à la bouche rongée
par le premier baiser d' amour, quand
tu avais les faims et les soifs ...

Cruz e Sousa

... voraces, aveugles, désespérées du
Non-Etre, quand tu aspirais aux formes
célestes, quand tu sentais, malgré ton
inocuité de poussière mais, peut-être !,
de poussière de quelque astre divin dilué,
l' insatiable désir de posséder les Infinis.

Carolina (répète)

... quand tu aspirais aux formes célestes,
quand tu sentais, malgré ton innocuité
de poussière mais, peut-être !, de poussière
de quelque astre divin dilué, l' insatiable
désir de posséder les Infinis.

Maintenant la caméra commence lentement à " survoler " le lit et la femme, montrant au fond, comme si elle ne pouvait pas s' approcher, la personne de Cruz e Sousa.

Cruz e Sousa

Moi, marchant au loin, absent du foyer
et où tu exhalais l' ultime gémissement,
je n' ai pu voir ton beau mépris,
tranquille de la mort envers les vanités de
la vie. Je ne suis pas allé te fermer les
yeux, avec dévotion, avec la délicatesse
caressante de mes mains tremblantes, ni
leur passer, en fluides ardents, l' adieu
meurtri de mes yeux. Je n' ai pu te dire,
en chuchotant, tout près de mes yeux et
mon coeur moribond, avec toute la
volupté de ma douleur, les onctueuses et
extrêmes paroles de la séparation, les
choses ineffables et gémissantes lors du

> déchirant moment où nos bras
> abandonnent pour ne plus jamais les
> serrer, les bras aimés qui sont déjà
> vaincus, livrés au renoncement de tout
> et que nous avons tant et tant
> tendrement serrés. Mais rien n' importe
> la Vie et rien n' importe la Mort !

Dans la même scène, baigné dans l' obscurité, bougies dans le fond, Cruz e Sousa, avec encore des chapelets de larmes brillant sous les yeux, d' abord silencieux, fixant soudainement la caméra, dit des fragments de la prose " Obsession de la Nuit " :

CRUZ E SOUSA

> ....
> Ce deuil, cette nuit, ces ténèbres c' est
> ce que je désire. Ténèbres délicieuses
> qui m' annulent entre la dégénérescence
> des sentiments humains. Ténèbres qui
> me dispersent dans le chaos, qui m'
> éthérifient, qui me dissolvent dans le
> vide, comme un son nocturne et
> mystique de forêt, comme un vol
> d' oiseau errant. Ténèbres, sans fin,
> qu' elles soient ma tunique sans étoiles,
> que je traîne indifférent et obscur par le
> monde, isolé des hommes et des choses,
> confondu dans le suprême mouvement
> de la nature, comme un bras ignoré du
> mal qui à travers de profondes forêts
> noires va sombrement et
> mystérieusement mourir dans la mer ...

Séquence XX

Intérieur/Extérieur. Jour/Nuit. Studio.

Enchaînement de " portraits " avec une série de travestis de préférence noirs et mulâtres, entrecoupés de photos de violence urbaine contre eux. En *off* la voix de Cruz e Sousa dit le poème " Litanie des Pauvres ". Aucune scène ne doit coïncider avec les paroles et les images créées dans le poème.

CRUZ E SOUSA (V.O.)

Les misérables, les sales poux
Ce sont les fleurs des égouts.

Ce sont des spectres implacables
Les sales poux, les misérables.

Les antres seuls pleurent le soir,
Désolés, muets et noirs.

Ce sont les grands visionnaires
Des abîmes tumultuaires.

Les ombres des ombres mortes
Aveugles, tâtonnant les portes.

Cherchant le ciel, si meurtris
Et perçant le ciel de cris.

Des phares éteints dans la nuit
Par des vents épris d' ennuis.

O les pauvres ! Des sanglots faits
De péchés si imparfaits !

Les images des délétères
Impondérables mystères.

Drapeaux innomés, troués,
Des barricades affamées.

O pauvres ! Toute votre bande
Est hideuse, est terrifiante !

Que viennent vos âmes ténébreuses
de l' odeur des roses nombreuses.

Que parmi les cris râleurs
Vous êtes quelques beaux rêveurs.

Séquence XXI

Extérieur. Nuit. Plage.

Comme si c' était un chien hurlant à la lune, un Cruz e Sousa silhouetté fixe une lune *fake* intensément claire pour établir le contraste entre sa négritude et sa blancheur à elle. Il dit des fragments de la prose poétique " Dégoût et Douleur ".

CRUZ E SOUSA

Douleur et dégoût de cette salure de race
parmi toutes les salures des autres races.
Douleur et dégoût de cette race de la nuit,
nocturnement ensevelie, et d' où je vins par
le mystère de la cellule...
....
Douleur et dégoût du pourri, létal marécage de
race qui m' a donné ce luxurieux organe nasal
qui respire si anxieux toutes les senteurs et
arômes profonds et secrets ...
....
... ces longues mains qui travaillent sans
relâche tellement et tellement rudement ;
cet organe vocal par lequel somnambulement
et nébuleusement gémissent et tremblent de
voilées mélancolies, mortes aspirations ...
....
ce coeur et ce cerveau, sont deux serpents
convulsés et insatiables qui me mordent,
qui me dévorent avec leurs tantalismes.
Douleur et dégoût ...

Séquence XXII

Intérieur. Jour. Salon.

Nestor Vítor, debout au milieu du salon, sans redingote, ouvre une lettre qu' il vient de recevoir. Il commence à la lire à voix basse tout en cherchant un fauteuil pour s' asseoir.

NESTOR VÍTOR

" Mon grand ami, je te prie de venir
avec extrême urgence jusque chez moi,
car ma femme est atteinte d' une attaque
d' exaltation nerveuse, due à son cerveau
fragile lequel, malgré toutes mes paroles
énergiques en sens contraire et malgré mon
attitude franche en de tels cas, croit à des
maléfices et persécutions de toute espèce.
Je te raconterai tout lorsque tu viendras.
Ta résence éclairera l' avis que je dois
prendre. Je t' écris douloureusement affligé.
Ton Cruz e Sousa. "

Séquence XXIII

Intérieur. Jour. Long couloir.

Le visage entier de Cruz e Sousa en premier plan : derrière lui, sa femme Gavita frotte nerveusement et angoissée corps et visage contre les murs d' un couloir tortueusement et dramatiquement illuminé. Egalement dans la scène deux enfants entre trois et cinq ans près d' un berceau, où dort un bébé, assistent à tout perplexes, peut-être pleurent-ils. Les larmes aux yeux, Cruz e Sousa dit à la caméra des vers du poème " Inexorable ".

Cruz e Sousa

O mon amour, qui déjà morte,
O mon amour, qui ne vivra !
Là dans cette tombe, tu gises inerte,
O mon amour, qui déjà morte,
Ah ! jamais plus ne fleurira ? !

Alors, à ton chétif squelette,
Que tu avais jadis d' une fleur
La grâce, le charme de l' amulette ;
Alors, à ton chétif squelette,
Ne reviendra pas ta splendeur ! ?

Gavita bouge d' un côté à l' autre comme une danseuse imaginaire. Elle a les cheveux décoiffés, les bras attachés par un grossier tablier. Elle émet étrangement des sons qui oscillent entre des pleurs et un chant inaudible. Rempli de compassion, Cruz e Sousa se sent, cependant, impuissant à la secourir. Le visage penché sur le sien, leurs seuls visages présents à l' écran, Cruz e Sousa se met à murmurer le poème " Résurrection ".

Cruz e Sousa

Que tu ne pleures pas, ni ne gémisses plus,
Ame ! Ton amour ressuscite.
Des extrêmes manoirs, il est revenu,
Là, où la folie habite !

....
Je ne sens plus le macabre sourire
De ton dédaigneux crâne.
J' ouvre l' œil et le cœur en délire
A la Nature que tu damnes !

Tant d' effrois noirs et froids, et sépulcraux
Au-delà moururent dans le vent ...
Comme je suis délivré dans le cours d' eau
Qui rajeunit en tombant !
....
Pourtant, tu as enfin ressuscité
Et moi j' ai réssuscité.
Mon Amour par toi se trouve purifié,
Et chante la paix infinie !

D' après les réactions de Gavita, on dirait qu' elle va réussir à sortir de la " folie ". Un sourire aux lèvres, Gavita se met à fredonner l' air, *Desde o dia* (" Depuis le jour "), de Domingos Caldas Barbosa.

" O mon amour, qui déjà morte,
O mon amour, qui ne vivra ! "

" Dès le jour où je naquis,
En ce jour que je maudis
Je vois souffler sur mon lit
La cruelle mélancolie.

C' est sans voir que j' ai grandi
Voir la joie et l' euphorie
Tel fut tout ce que j' acquis
La cruelle mélancolie. "

Le visage auparavant attristé du poète commence à transmettre une grande joie intérieure. Lentement Gavita se calme et tous deux se serrent dans les bras l' un de l' autre en pleurant.

Séquence XXIV

Intérieur. Nuit. Studio.

Les amis Nestor Vítor, Araújo Figueiredo, Virgílio Várzea et Oscar Rosas apparaissent penchés sur un imaginaire Cruz e Sousa déjà souffrant, lequel surgit ensuite glissant dans les marécages à bord d' un canot. L' on entend des vers du poème " Violons qui pleurent ".

CRUZ E SOUSA (V.O.)

Violons gémissants tièdes, somnolents,
Sanglots au clair de lune, pleurs au vent ...
Tristes silhouettes, contours hésitants,
Chuchotements de bouches se lamentant.

ARAÚJO FIGUEIREDO

Quand les sons des violons vont sanglotant,
Quand des sons des violons les cordes gémissent,
Et vont dilacérant et déliciant,
Décharnant les âmes, ombres qui frémissent.

CRUZ E SOUSA (V.O.)

Voix de velours voilées, voix veloutées,
Voluptés de violons, les voix voilées,
Vaguent sur le vortex en vélocité,
Vénustés, vivantes, vaines, vulcanisées.

NESTOR VÍTOR

Quel enfer, quel profond enfer, quel ciel,
Quels azurs, quelles larmes, quels ors souriants
Tant de sentiments blessés éternels
Dans ces rythmes tâtonnants, délirants ...

Virgílio Várzea

Ardeurs sexuelles de nonnes en leur beauté,
Dans le cilice des tentatrices chairs,
En cellules vaguant recluses aux secrets,
En prise à l' angoisse qui les dilacère ...

Oscar Rosas

Quelle procession de crânes en frayeur,
De spectres, par les ombres mortes, silencieuses ...
Quelles cordillères, quelles montagnes de douleur,
D' agonies aiguës et acrimonieuses.

Tibúrcio de Freitas

Toute cette labyrinthique névrose
Des vierges en de romantiques ravissements ;
Les hasards de l' Amour, toute la chlorose
Qui leur lacère les seins occultement ;

Cruz e Sousa (V.O.)

Voix de velours voilées, voix veloutées,
Voluptés de violons, les voix voilées,
Vaguent sur le vortex en vélocité,
Vénustés, vivantes, vaines, vulcanisées.

Pedra Antióquia : " Illusions mortes ".

Séquence XXV

Extérieur. Jour. Véranda.

Regardant la mer face à elle, nous voyons l' ex-fiancée Pedra Antióquia entonnant des extraits du même chant d' amour en ioruba de la Séquence VI. Sur un ton pleureur, elle se met à dire le poème " Illusions Mortes ".

PEDRA ANTIÓQUIA

Mes amoures s' en vont par delà les mers,
S' en vont par delà les mers mes amoures,
Sans rosée ni rayons levant du jour
En fanant, en fanant, fleurs éphémères.

Et mes amoures n' arriveront légères
Ni battront des ailes chinées toujours,
Doux oiseaux dans la splendeur en retour
A mon plaisir, à mon plaisir naguère.

Tout émigra, rompant le cercle blanc
Des illusions, – tout, tout en envol franc
Partit – laissant un bien-être douloureux

Dans le fond idéal de toute ma vie,
Comme dans une coupe, une goutte indéfinie
D' un vieux vin liquoreux et savoureux.

Séquence XXVI

Intérieur. Nuit. Chambre de Cruz e Sousa.

Essayant d' écrire au clair-obscur d' une bougie, toussant, transpirant, prenant quelques gorgées de café, Cruz e Sousa, le visage rempli d' amertume, non-rasé, essaie d' écrire une lettre avec beaucoup de difficulté.

CRUZ E SOUSA

" Cher Nestor Vítor, je ne sais si je
suis vraiment arrivé à la fin ; – mais
j' ai eu ce matin une syncope si prolongée
que j' en suppose être la mort. Cependant,
je n' ai pas perdu ni ne perds tout mon
courage. Depuis15 jours j' ai une fièvre
folle, due, très certainement, au problème
intestinal qui me mine. Le pire, mon ami,
est que je me trouve dans une indigence
horrible, sans un sou pour les remèdes,
pour le lait et pour rien, pour rien du tout !
une catastrophe ! Gavita dit que je suis un
fantôme qui marche dans la maison ! "

Séquence XXVII

Intérieur. Jour. Maison de Cruz e Sousa.

Nous voyons Cruz e Sousa prostré sur un lit, toussant beaucoup. Gavita enceinte est emplie d' affection, apportant des serviettes, ramassant livres et papiers éparpillés sur le sol. Les enfants jouent quelque part. Se retirant dans un coin de la chambre, Gavita se met à dire tout bas des strophes du poème " Anima Mea " :

GAVITA

O mon âme, ô mon âme, ô mon Abri,
Mon noir soleil et mon ombre pèlerine,
Mondes que l' immortelle lumière illumine
De l' ancien Rêve, ô mon fidèle Ami !
....
D' où vient donc tant d' espoir qui se fonde
D' où vient donc tant d' angoisse qui m' inonde,
Si diluée, sempiternelle blessure ?

Ah ! d' où vient donc toute cette étrange essence
De tant de mystérieuse Transcendance,
Qui me laisse les yeux remplis de larmes pures ? !

Séquence XXVIII

Intérieur. Nuit. Même chambre.

Cruz est surpris dans son lit par une étrange voix qui vient d' un mur fortement illuminé ... Il se met à y coller l' oreille et se rend compte que c' est sa propre voix. Il écoute des strophes éparses du poème " Tuberculose ".

CRUZ E SOUSA (V.O.)

L' infirmité commence, paume à paume,
Par gagner tout le corps, comme un terrain ...
Et avec des préludes mystiques de psaume
La vie se penche en crépuscule serein.

Jamais plus elle n' aura la couleur saine
Pour que la chair de ce corps jouisse et ose
Ce qu' avait ce corps d' ineffable veine
S' est cristallisé en tuberculose.

Tu fuis le monde fatal, arbuste débile,
Nonne blessée aux étranges rites marmonnant,
O tremblante harpe sanglotante, flébile,
O eucalyptus, flébile, sanglotant ...

Séquence XXIX

Extérieur. Crépuscule. Dunes.

Dans son délire, Cruz e Sousa voit son ex-fiancée Pedra Antióquia, entièrement nue, courant vers lui sur les dunes de sable. Alors qu' il l' observe debout, également entièrement dévêtu, Pedra surgit en rampant comme un serpent, le provoquant par des sourires et des regards érotisants. La caméra essaie de traduire le délire verbal qui explose en Cruz e Sousa. (strophes des poèmes " Rose Noire ", " Bouche ", " Aspiration " et " Seins "). Ses paroles alternent entre être dites en syncro ou hors scène, ou simultanément comme s' il s' agissait d' un chœur d' une seule et même voix. La caméra " se frotte " littéralement sur le corps de Pedra Antióquia.

CRUZ E SOUSA (O.S.)

Fleur du délire, fleur du sang ardent
Qui de ses pores explose si abondant,
Voluptueuse de la chair qui alors gémit.

Rose noir-ténèbre, Fleur du néant charmée,
Donne-moi cette bouche ouverte, acidulée,
Qui vaut bien mieux que les cœurs interdits !
....
Bouche en sève, parfum de liliacées,
De la fraîcheur limpide et enneigée,
Bouche de magnificence grecque, empourprée,
D' une pêche syrienne a la majesté.

Ensuite il contourne lentement les seins, les aisselles

CRUZ E SOUSA (O.S.)

Je voulus être la couleuvre veloutant
Pour sauter en folles pelotes, enroulée
Sur les seins de fluidité odorant

Et les écumer, les mordre, enjoué ...
....
O seins nuptiaux, virginaux, fermes et vifs
Où de l' amour en ravissements lascifs
De vieux faunes fébriles dorment en rêvant ...

... descendant vers le nombril et sur un mouvement qu' elle fait, il s' arrête sur les fesses. Finalement, à partir d' un angle bas sur les jambes entrouvertes, collé sur les cuisses, la caméra va – très lentement – s' approcher du triangle pubien (qui se transforme en un amas d' herbes fluctuant) et au-dessus de lui, elle se met à tournoyer sans cesse. Haletant, Cruz e Sousa ne cesse de décrire poétiquement le paysage de l' écran. L' on a la sensation qu' il atteint l' orgasme.

CRUZ E SOUSA

... Et que ta vulve veloutée, finalement !
Rouge, enflammée, pétillante comme une
forge embrasée, sanctuaire obscur des
trans-figurations, chambre magique des
métamorphoses, creuset original des
impuretés génitales, source ténébreuse
des extases, des tristes, des spasmodiques
soupirs et du Tourment délirant de la
Vie ...
....
... que ta vulve, finalement, vibre
victorieusement l' air avec les trompes
martiales et triomphantes de l' apothéose
souveraine de la Chair !

Séquence XXX

Intérieur. Nuit. Chambre.

Cruz e Sousa se trouve au lit se réveillant du rêve quand il entend de suaves accords de violon. A l' autre bout de la chambre, paraît petit à petit, placée sur une sorte de piédestal, la fillette violoniste Giuletta Dionesi. Le fixant dans les yeux, elle exécute une mélodie pour lui, qu' il reconnaît aussitôt. Les souvenirs l' inondent et il balbutie des strophes des poèmes " Giuletta Dionesi " et " A Giuletta Dionesi ".

CRUZ E SOUSA

Ah ! Giuletta !
Ah ! pèlerine du pays des rêveurs,
Fleur lumineuse de la région sonore,
Dans le fond de ton tendre cœur rieur
Vibrent triomphants les clairons de l' aurore.
....
Pour ton âme si délicate et bonne
ces roses douces et délicates je te donne

Je te donne des roses, divinale enfant,
pour qu' elles te parfument d' espoir odorant

Des roses qui sont toute mon âme enflammée,
Dans ton suave violon enfermée.

Des roses pour que j' applaudisse les grandes traces,
Parce que je n' ai ni oiseaux ni astres.

Le poème terminé, l' image de la fillette se dissipe et nous retrouvons Cruz e Sousa qui, soudain, recouvrant l' éclat de ses yeux et commençant à se déshabiller, récite le poème " Dilacérations ".

CRUZ E SOUSA

O chairs que j' ai aimées passionnément,
O voluptés létales et douloureuses,

D' héliotropes et de roses parfumeuses
D' arôme morne, tropical, dolent ...

Chairs virginales et tièdes de l' Orient
Du Rêve et des Etoiles fabuleuses,
Chairs toutes acerbes et merveilleuses,
Tentatrices du soleil intensément ...

Passez, de par les zèles, dilacérées,
A travers de longs cauchemars macérés
Qui me poignardent de mortelles horreurs ...

Passez, passez, défaites en afflictions,
En larmes, en sanglots, en lamentations,
En soupirs, en convulsions, en douleurs ...

" *La violiniste Giuletta Dionesi (Cora Araújo Ostroem)* "

Séquence XXXI

Intérieur. Nuit. Chambre.

Coupure vers les amis de Cruz e Sousa, Nestor Vítor, Virgílio Várzea, Oscar Rosas, Araújo Figueiredo, Maurício Jubim (dessinant Cruz e Sousa) et Tibúrcio de Freitas, entourant son lit, " lui prennent " la parole après qu' il ait été pris d' une violente quinte de toux, suivie de crachat de sang. Ils se comportent tous comme s' ils donnaient une *interview*, fixant la caméra. Des fragments de lettres, écrites et/ ou reçues par Cruz e Sousa servent de dialogue.

ARAÚJO FIGUEIREDO

" Lancinant, avec le cœur sanglant
comme un coup de couteau vierge,
j' ai passé les yeux tristes sur ta lettre.
Je crois religieusement, comme toujours,
à ce que dans cette lettre blanche tu
m' as dit, à ce que dans cette lettre ton
âme si affectueusement et si ...

NESTOR VÍTOR

... clairement a photographié. Elle
est ainsi, elle est ainsi la vie
intellectuelle dans ce pays de gredins ...

CRUZ E SOUSA

Je dois mourir bientôt, mais je dois
laisser un nom !

TIBÚRCIO DE FREITAS

Que mes bras amis te serrent
tout contre mon cœur, au moment

où tu recevras ces lignes emplies de
souvenirs. Mais je te les écris, mon cher
frère, avec l' âme dilacérée d' angoisses,
car je me vois mourir peu à peu ...

OSCAR ROSAS

Tu vois bien, mon ami, que tout le
monde est ainsi : à Santa Catarina, à
Rio de Janeiro, à Paris, à Londres, à
Berlin, à Saint Pétersbourg, à Rome, et
à New York, etc., tout est pareil ... le
mérite rencontre toujours l' infamie,
l' inconduite, la jalousie. (...)

CRUZ E SOUSA

Je dois mourir bientôt, mais je dois
laisser un nom !

VIRGÍLIO VÁRZEA

Tout ceci, jour après jour, s' ordinamise
plus. Je n' ai déjà plus le goût de vivre.
Soudain, je m' embarque ici sans destin,
vers tous les points du monde, Dieu sait
vers où ... Mon très cher Cruz, j' en ai
assez. Cette terre ...

ARAÚJO FIGUEIREDO

... est plus basse que la merde et son
peuple beaucoup plus encore. J' ignore
jusqu' où tout cela ira. Adieux. Je
m' abandonne dans tes bras.

Coupure vers Cruz e Sousa qui, du fond de son lit, regardant fixement
ses amis, dit sur un ton presque inaudible :

Tu n' imagines pas ce qui s' est passé
dans mon être, voyant la difficulté
si redoutable, formidable dans laquelle
se trouve la vie à Rio de Janeiro. (...)
Toutes les portes, et les raccourcis fermés
sur le chemin de la vie ... Je dois mourir
bientôt, mais je dois laisser un nom ! "

Séquence XXXII

Intérieur. Jour. Puits.

Cruz e Sousa se trouve immergé dans un puits, il agit comme s' il était prisonnier, se débattant pour sortir. Regardant la caméra, il fait un impétueux bilan existentiel. Ce sont des extraits de la prose poétique " l' Emmuré ".

CRUZ E SOUSA

... Mais, qu' importe tout cela ? ! Quelle est la couleur de mon apparence, de ce que je sens ? Quelle est la couleur de la tempête de dilacérations qui m' afflige ? Quelle est celle de mes rêves et mes cris ? Quelle est celle de mes désirs et de ma fièvre ? Artiste ? ! Folie ! C' est fort possible si tu viens de cette lointaine contrée désolée, là du fond exotique de cette Afrique suggestive, gémissante ! Non ! Non ! Non ! Tu ne franchiras pas les portiques millénaires de la vaste édification du Monde, parce que derrière toi et devant toi je ne sais combien de générations ont accumulé, accumulé, pierre après pierre, pierre après pierre, de sorte que tu es maintenant le véritable emmuré d' une race. Si tu marches vers la droite tu te frapperas et te heurteras anxieux, affligé, contre un mur épouvantablement incommensurable d' Egoïsmes et de Préjugés ! Si tu marches vers la gauche, un autre mur, de Sciences et de Critiques, plus haut que le premier te plongera profondément dans l' effroi ! Si tu marches droit devant, encore un autre mur,

fait de Dépits et d' Impotences,
redoutable, de granit, s' élèvera
stupidement vers le haut ! Si tu
marches, enfin, à reculons, ah ! tu
trouveras encore un dernier mur,
enfermant tout, enfermant tout
horriblement ! – mur d' Imbécillité et
d' Ignorance, qui te laissera dans un
spasme froid de terreur absolue ...
Et plus de pierres, plus de pierres se
superposeront aux pierres déjà
accumulées, plus de pierres, plus de
pierres ... Pierres de ces odieuses,
caricaturales, fatigantes Civilisations et
Sociétés ... plus de pierres, plus de
pierres ! Et les étranges murs se doivent
de monter – longs, noirs, terribles ! Ils
se doivent de monter, monter, monter,
monter muets, silencieux, jusqu' aux
Etoiles, en te laissant pour toujours
éperdument halluciné et emmuré dans
ton Rêve ...

Séquence XXXIII

Extérieur. Jour. Gare.

Cruz e Sousa et Gavita (enceinte) se préparent à prendre le train. Avec eux, leur faisant ses adieux, leur fidèle ami Nestor Vítor. Soutenu par sa femme, l' on note la débilité du poète, la décadence de ses vêtements. Emportant dans ses bras tous les livres qu' il a publiés et qu' il pourrait publier *post mortem*, Cruz e Sousa les tend à Nestor Vítor, qui comprend de quoi il s' agit.

CRUZ E SOUSA

Mon tendre ami, voici tout ce que j' ai
réussi à écrire ... Tout est à toi ...
Je suis sans force ...

Pendant que le train s' éloigne, laissant Nestor Vítor sur le quai, l' on entend des strophes des poèmes " La Mort " et " Pacte d' Ames " (Pour Toujours !).

NESTOR VÍTOR

Oh ! quelle douce tristesse et quelle tendresse
Dans le regard anxieux de ceux qui meurent ...
Oh ! De quelles profondes ancres se demeurent
Ceux qui pénètrent la nuit noire de tristesse !

Cruz e Sousa penché à la fenêtre du train semble entendre son ami qui lui adresse ses propres vers prémonitoires. Et échangeant un dernier regard avec lui, il se met à lui répondre, " sans paroles ".

CRUZ E SOUSA (V.O.)

Ah ! pour toujours ! pour toujours ! En accord
Nous ne nous quitterons pas, tendre ami ...
Jamais plus, jamais, dans cette harmonie
De nos âmes de divine et douce aurore.

La voix du ciel peut vibrer si sonore
Ou bien l' Enfer la sinistre symphonie,
Que dans un fond d' astrale mélancolie
Mon âme et ton âme adorent et déplorent.

Nestor Vítor

Pour toujours est fait l' auguste pacte !
Aveugles nous serons du céleste tact,
Dans le voile étoilé du Rêve, cachés,

Cruz e Sousa

Et perdues, et perdues dans l' Infini
Toutes nos âmes, dans la belle Lueur bénie,
Devront enfin toute cette soif étancher ...

Nestor Vítor

Et perdues, et perdues dans l' Infini
Toutes nos âmes, dans la belle Lueur bénie,
Devront enfin toute cette soif étancher ...

" O jamais ne m' oublie, mon vers amer... "

Séquence XXXIV

Extérieur. Crépuscule. Phare de la mer.

Des larmes dans le regard perdu, fixant l' immensité de l' océan, Cruz e Sousa, se dirigeant vers l' horizon de la mer face à lui, dramatise des vers du poème " Oubli ". La sensation de solitude augmente à mesure que la caméra s' éloigne jusqu' à ce qu' elle cadre le personnage de loin, vue d' un hélicoptère en vol circulaire au dessus du phare.

CRUZ E SOUSA (V.O.)

Rivière de l' oubli noire et ténébreuse,
Amèrement glacière,
Amèrement sépulcrale, douloureuse,
Amèrement rivière !

O mon vers, ô mon vers, ô mon orgueil,
Mon vin et mon tourment,
Mon ivresse sacrée roucoulant sous l' œil
Des nids d' oiseaux se formant.

O mon vers, ô mon vers, sanglotant,
Le secret de ma vie,
Aie pitié de moi au suprême instant
Des suprêmes agonies.

O jamais ne m' oublie, mon vers amer,
Mon vers si solitaire,
Ma terre, mon ciel, mon air, ma vaste mer,
Mon temple, mon sanctuaire.

Rivière de l' oubli noire et ténébreuse,
Amèrement glacière,
Amèrement sépulcrale, douloureuse,
Amèrement rivière !

Séquence XXXV

Extérieur. Nuit. Rue.

Défilé de l' ECOLE DE SAMBA COPA LORD, de Florianópolis, dont le thème est la vie et l' œuvre de Cruz e Sousa. Au milieu des groupes qui évoluent au son de la samba à thème, l' on voit surgir Cruz e Sousa, élégamment vêtu. La musique terminée, l' acteur " se désincorpore " du personnage avec un sourire pour la caméra. C' est la célébration du poète qui cent ans après sa mort, continue vivant dans le souvenir de son peuple.

CHŒUR

" O coeur, ouvre les portes à la poésie,
voyage sur les rimes de notre plus grand poète

vole et vole sur les étoiles de la tendresse
et embrasse
ce monde d' émotions et de fantasies.

Beautés éternelles en vers et en prose
folie divine
secrets de l' âme
fleurissent dans le cœur de l' artiste
et assèchent les sources
de l' extrême mésaventure
héros moral de notre littérature.

Lune, clair de lune,
Enchante l' amour
pour Gavita belle fleur noire.

Vieux vent, violons qui pleurent, virginale
sonate, hâte la résurrection des étoiles

œuvres d' un poète d' illuminations
astre nocturne, l' exil est ta demeure.

Et la Copa Lord arrive
et brille
accablant de culture notre
Brésil
chantant en harmonie son Carnaval
avec le Cygne Noir universel. "

FIN

Leonor Scliar-Cabral, psycholinguiste, poète et traductrice brésilienne. Habite à la ville de Florianópolis (SC). Docteur en Linguistique de l'Université de São Paulo, ex-professeur titulaire de l'Université Fédérale de Santa Catarina, de l'Université Catholique de Campinas et ex-professeur de l'Ecole de Médecine de São Paulo. Oeuvre: *Introdução à linguística* (1973, 7ème éd.: 1978) et *Introdução à psicolingüística* (1990); *Sonetos* (1987), *Memórias de Sefarad* (1994) et *De senectute erotica* (bil., trad. en français par Marie-Hélène Catherine Torres, 1998). Traductions: *Romances e canções sefarditas* (séc. XV ao XX) (1990), *Poesia espanhola do século de ouro* (1998) et *El otro, el mismo*, de José Luis Borges, II vol. de *Obra completa* (1999).

***Leonor Scliar-Cabral**, psicolingüista, poeta e tradutora brasileira. Vive em Florianópolis (SC). Doutor em Lingüística pela Universidade de São Paulo, ex-professor titular da Universidade Federal de Santa Catarina, da Pontifícia Universidade Católica de Campinas e ex-professor da Escola Paulista de Medicina. Obra:* Introdução à linguística *(1973, 7ª ed.: 1978) e* Introdução à psicolingüística *(1990);* Sonetos *(1987),* Memórias de Sefarad *(1994) e* De senectute erotica *(com trad. para o francês por Marie-Hélène Catherine Torres, 1998) . Traduções:* Romances e canções sefarditas *(séc. XV ao XX) (1990),* Poesia espanhola do século de ouro *(1998) e* El otro, el mismo, *de José Luis Borges, II vol. da* Obra completa *(1999).*

Marie-Hélène Catherine Torres, traductrice brésilienne. Actuellement elle prépare en Belgique doctorat en traduction littéraire à la Katholieke Universiteit Leuven. Elle est professeur du Département de Langues et Littératures Etrangères à l'Université Fédérale de Santa Catarina, et membre du Conseil Editorial de la revue "Cadernos de Tradução". Oeuvre: *Poèmes* (1994), de Pierre Reverdy (traduction en portugais avec Renato Tapado); *De senectute erotica* (1998), de Leonor Scliar-Cabral (traduction en français) et *Cruz e Sousa e Baudelaire: satanismo poético* (1998).

***Marie-Hélène Catherine Torres**, tradutora brasileira. Atualmente faz doutorado na Bélgica em tradução literária na Katholieke Universiteit Leuven. É professora do Departamento de Línguas e Literaturas Estrangeiras na Universidade Federal de Santa Catarina, onde é membro da Comissão Editorial da revista "Cadernos de Tradução". Obra:* Poemas *(1994), de Pierre Reverdy (tradução em português com Renato Tapado);* De senectude erotica *(1998), de Leonor Scliar-Cabral (tradução em francês) e* Cruz e Sousa e Baudelaire: satanismo poético *(1998).*

O FILME/THE PICTURE/LA PELICULA/LE FILM

Título/title/título/titre

CRUZ E SOUSA – O POETA DO DESTERRO
THE BANISHED POET
EL POETA PROSCRITO
LE POÈTE BANNI

(35mm. 86 min. cor/color/color/couleur)
(Brasil/Brazil/Brasil/Brésil/1999)

Elenco/cast/intérpretes/acteurs
Kadu Carneiro (Cruz e Sousa), **Maria Ceiça** (Gavita),
Léa Garcia (Carolina), **Danielle Ornelas** (Pedra Antióquia),
Jaqueline Valdívia (mulher semi-nua/semi-naked woman/
mujer semidesnuda/femme a demi-nue),
Guilherme Weber (Nestor Vítor),
Luigi Cutolo (Virgílio Várzea),
Carol Xavier (Julieta dos Santos),
Marcelo Perna (Araújo Figueiredo),
Ricardo Bussy (Tibúrcio Freitas),
Jacques Bassetti (Oscar Rosas),
Marco Aurélio Borges (Maurício Jubim),
Cora Araújo Oestroem (Giuletta Dionesi),
Julie Philippe dos Santos (Gemma Cuneberti),
João Pinheiro (pai/father/padre/père)

*Pesquisa e roteiro/research and screenplay/
investigación y guión/recherche et scénario*
Sylvio Back

Colaboração/collaboration/collaboración/collaboration
Rodrigo de Haro

*Consultores biográficos/biographical advisors/
consultores biográficos/consultation biographique*
Iaponan Soares/Uelinton Farias Alves

*Diretor de fotografia/director of photography/
director de fotografia/directeur de la photo*
Antonio Luiz Mendes

Direção de arte/art direction/dirección de arte/chef décorateur
Rodrigo de Haro

Cenografia/cenography/cenografia/chef constructeur
Idésio Leal

Figurinos/costumes/vestuario/chef costumière
Lou Hamad

Som direto/direct sound/grabación de sonido/prise de son direct
Silvio Da-Rin

Pesquisa e direção musical/research and musical score/ investigación y dirección musical/recherche et direction musicale
Silvia Beraldo

Montagem e edição/editor/montaje y edición/monteur
Francisco Sérgio Moreira

Letreiros/credits/créditos/générique
Fernando Pimenta

Direção de produção/line producer/ dirección de producción/directeur de production
César Cavalcanti

Produtores executivos/executive producers/ productores executivos/producteurs executives
Sylvio Back/Margit Richter

Produção/production/producción/production
Usina de Kyno

Apoio/support/apoyo/appui
Telesc (Tele Centro Sul), Celesc (Centrais Elétricas de Santa Catarina), Besc (Banco do Estado de Santa Catarina), Ministério da Cultura, Universidade Federal de Santa Catarina e Prefeitura de Florianópolis (SC)

Direção/director/dirección/réalisateur
Sylvio Back

Este livro foi impresso nas oficinas gráficas da
Editora Vozes Ltda.,
Rua Frei Luís, 100 — Petrópolis, RJ,
com filmes e papel fornecidos pelo editor.